Nous remercions la SODEC
et le Conseil des Arts du Canada
de l'aide accordée à notre programme de publication
ainsi que le gouvernement du Québec
– Programme de crédit d'impôt
pour l'édition de livres
– Gestion SODEC.

   Patrimoine   Canadian
canadien   Heritage

Conseil des Arts   Canada Council
du Canada   for the Arts

Nous reconnaissons l'aide financière
du gouvernement du Canada
par l'entremise du Fonds du livre du Canada
pour nos activités d'édition.

Collection fondée et dirigée par :
Geneviève Mativat

Illustration de la couverture :
Daniela Zekina

Conception de la maquette
et montage de la couverture :
Grafikar

Édition électronique :
Infographie DN

Dépôt légal : 1er trimestre 2013
Bibliothèque nationale du Canada
Bibliothèque nationale du Québec

1234567890 IM 09876543

Folle de lui

Folle de lui

Lyne Vanier

roman

**ÉDITIONS
PIERRE TISSEYRE**
w w w . t i s s e y r e . c a

155, rue Maurice
Rosemère (Québec) J7A 2S8
Téléphone: 514-335-0777 – Télécopieur: 450-437-3302
Courriel: info@edtisseyre.ca

**Catalogage avant publication
de Bibliothèque et Archives nationales du Québec
et Bibliothèque et Archives Canada**

Vanier, Lyne

    Folle de lui

    (Collection Ethnos ; 13)
    Pour les jeunes de 12 ans et plus.

    ISBN 978-2-89633-215-1

    I. Titre II. Collection : Collection Ethnos
    (Éditions Pierre Tisseyre) ; 13.

PS8643.A698F64 2013   jC843'.6   C2012-942296-7
PS9643.A698F64 2013

Pour mes quatre muses :
Guy, Louis-Philippe,
Vincent et Sébastien.

Avec un merci tout spécial
à Vincent, souvent premier lecteur,
toujours de bon conseil !

Avertissement

Pour écrire ce roman, je me suis très librement inspirée de l'hôpital Saint-Michel-Archange, maintenant connu sous le nom de l'Institut universitaire en santé mentale de Québec. J'ai situé mon hôpital imaginaire, l'asile Notre-Dame de la Pitié, dans le même quartier que le véritable hôpital Saint-Michel-Archange. Il existe également quelques similitudes architecturales et organisationnelles entre le vrai hôpital et celui que j'ai inventé. Toutefois, l'asile dont il est question dans ces pages n'a jamais existé. Il est un amalgame de plusieurs lieux du début du vingtième siècle dédiés au traitement des personnes souffrant de maladies mentales. Les religieuses, les médecins, les surintendants et, bien sûr, les patients de ce livre sont tous le produit de mon imagination. Malgré tout, l'environnement thérapeutique que je décris reflète les pratiques en vigueur à l'époque.

Prologue

Cette histoire commence dans le blizzard, le vingt et un janvier mille neuf cent huit, veille de la Saint-Vincent. Ou peut-être pas… On pourrait tout aussi bien situer son début au trois février mille huit cent quatre-vingt-dix, alors qu'une autre tempête de neige faisait rage. Mais à bien y réfléchir, il faudrait sans doute retourner encore plus loin dans le passé pour expliquer toute la succession d'événements qui, s'imbriquant les uns dans les autres, telles des poupées russes, conduisirent au récit qui défilera sur les prochaines pages. On se croit maître de son destin. Quelle naïveté! On oublie que l'histoire a l'étrange manie de se répéter et qu'elle se nourrit de gestes accomplis bien avant notre naissance. On oublie. Ou on veut oublier. Toutefois, il faut quand même commencer cette chronique quelque part. Tout bien réfléchi, le trois février mille huit cent quatre-vingt-dix fera l'affaire.

Ce soir-là, derrière les murs épais de l'hospice de la Miséricorde, une jeune accouchée serrait contre elle son nouveau-né. Lèvres pincées, la religieuse qui avait assisté la sage-femme pendant la naissance tendait impérieusement les bras. Elle déplorait que la matrone ait pris l'initiative de remettre l'enfant à sa mère, même si ce n'était que pour quelques pauvres minutes. Sœur Sabine de l'Immaculée-Conception trouvait qu'il valait mieux trancher dans le vif. Comme pour les amputations. Puisque les filles tombées[1] qui accouchaient à l'hospice devaient donner leur bébé en adoption, il lui semblait inutile de jouer cette comédie. Inutile et cruel. Un regard de poupon pouvait vous broyer les entrailles et vous prendre au piège. La séparation n'en était que plus douloureuse.

— Il ne sert à rien de s'apitoyer, dit-elle à la nouvelle maman. Ni d'étirer les adieux. Ça fait juste plus mal.

À ces mots, la mère étreignit son bébé encore plus fort. Des larmes roulèrent sur ses joues.

— Elle sera bien soignée, ne t'inquiète pas, ajouta plus doucement la religieuse, touchée, malgré tout, par tant de chagrin silencieux. On lui trouvera une bonne famille qui l'aimera.

---

1. Filles tombées : expression par laquelle on désignait, à l'époque, les femmes devenues enceintes hors mariage.

Le nez plongé dans le cou du nourrisson, la jeune femme inspira profondément, comme si elle cherchait à graver pour toujours au fond de sa mémoire le souvenir de cette odeur. Avec réticence, elle remit l'enfant à celle qui attendait.

— Si j'avais pu l'élever, je l'aurais appelée Emma, dit-elle tristement.

— Emma ? C'est joli, fit la religieuse attendrie. Très joli… Emma, répéta-t-elle. On peut quasiment entendre *Aime-moi*… Comme si tu nous demandais de l'aimer… Et belle comme elle l'est déjà, c'est sûr qu'elle inspirera beaucoup d'amour. Veux-tu que je suggère qu'on la baptise ainsi ?

La maman, navrée, hocha la tête en reniflant.

— Repose-toi, maintenant. Tu dois reprendre des forces.

Sœur Sabine fit quelques pas vers la porte.

— Vous l'emmenez déjà ? protesta la nouvelle mère.

— Il le faut, ma petite. Plus on attend, plus ce sera dur pour toi.

— Et si je la gardais ? D'autres mères célibataires l'ont fait avant moi ! Je me trouverai un travail !

— Quelle sorte de travail ? s'enquit la religieuse, en penchant la tête de côté.

— N'importe quoi ! Je pourrais m'engager comme servante, par exemple.

— Voyez-vous ça… Et qui voudra s'encombrer d'une servante avec un bébé à charge ? Les patrons ne font pas la charité. Ils exigent que leurs employés se consacrent entièrement à leurs tâches.

— Pas tous, se renfrogna la jeune femme. Des gens qui ont du cœur, ça existe tout de même !

— Il y a sûrement des exceptions, admit la sœur. Reste que les employeurs ont le beau jeu. La main-d'œuvre ne manque pas… Alors entre une domestique parfaitement libre et une autre avec un marmot à ses jupes… le choix est vite fait !

Un soupir de résignation suivit cette déclaration.

— Si tu savais combien de jeunes servantes cachent leur grossesse pour ne pas perdre leur place…, insista sœur Sabine.

— Cacher une grossesse ? s'étonna la nouvelle maman. Mais de quelle façon ?

Elle ne pouvait imaginer comment son propre gros ventre aurait pu échapper à l'attention de quiconque.

— Avec des châles et de larges jupes. C'est plus facile pour celles qui sont naturellement rondes, elles ont juste l'air d'avoir encore engraissé.

Haussement d'épaules incrédule.

— De toute façon, là n'est pas la question, ronchonna sœur de l'Immaculée-Conception. Tu sais bien que tu ne pourras pas t'occuper de ton bébé... À quelle sorte d'avenir veux-tu condamner cette enfant? Les religieuses de l'Hôtel-Dieu du Sacré-Cœur veilleront sur elle, jusqu'à ce qu'une famille décide de l'adopter. Une famille respectable qui la chérira.

— Je ne la reverrai donc plus jamais, se lamenta la jeune femme.

— Non, et c'est mieux ainsi. Tu as pris la bonne décision. Crois-moi...

La nouvelle mère détourna le regard pour ne pas voir sœur Sabine franchir le seuil de la porte. Elle entendit quand même l'écho des pas de la religieuse dans le long couloir. Un écho de plus en plus ténu qui continua de résonner dans sa tête bien après que le silence eut repris possession des lieux.

Ne restait que le bruit de la neige grésillant contre la fenêtre et celui de longs sanglots étouffés.

Le trois février étant le jour de la fête de saint Blaise, le patron des tailleurs, on nomma temporairement la petite Emma Tailleur. Il serait toujours temps de changer cela lors d'une éventuelle adoption. Mais malgré son joli minois, Emma Tailleur ne fut jamais

adoptée. Il y avait tant d'enfants abandonnés…
Les gens de la ville ne pouvaient pas tous les
recueillir et, de leur côté, les gens de la
campagne préféraient les garçons, considérés
comme plus utiles dans une ferme. Les filles
n'étaient, à leurs yeux, que des bouches sup-
plémentaires à nourrir qu'il faudrait de surcroît
doter le jour de leurs noces. Un vieux dicton
n'affirmait-il pas qu'un garçon était une terre
de gagnée, et une fille, une vache de perdue ?
Ainsi, comme des dizaines d'autres gamins,
Emma passa son enfance à l'orphelinat, un
austère bâtiment de pierres grises coincé entre
d'autres édifices de la Basse-Ville. Elle en
sortit à l'âge de treize ans, alors qu'on la plaça
comme domestique dans une famille bourgeoise de Québec.

Sa destinée semblait toute tracée. Une
vie simple de labeur et de petits bonheurs
volés au temps.

Mais l'histoire a l'étrange manie de se
répéter, on l'a déjà dit. Ainsi, le tournant que
prendra l'existence d'Emma durant une nuit
de blizzard de janvier mille neuf cent huit
rappellera celui emprunté par sa mère, dix-
huit ans plus tôt.

Emma, cependant, n'aura aucune aide
pour mettre au monde son propre bébé. Et
cela aura des conséquences dramatiques.

1

**Journée du vingt et un janvier
mille neuf cent huit**

Les premiers flocons de neige commencèrent à tomber à l'heure du midi. Énormes, plus légers que des plumes, ils voletaient longuement, pas pressés pour deux sous d'atteindre le sol. Certains s'offraient même la fantaisie de remonter de quelques coudées vers le ciel, comme aspirés par de mystérieux courants ascendants, avant de changer brusquement d'avis et de reprendre leur descente. La jeune domestique les observa un instant, rêveuse. Mais elle fut rapidement arrachée à cette douceur par la voix autoritaire de sa patronne qui criait de l'étage et qui agitait la cloche comme une furie, réclamant de l'eau chaude pour son bain.

— Emma! grondait madame Pelletier, dépêche-toi donc un peu! Je dois me laver, m'habiller, me coiffer… Je n'ai pas trop de l'après-midi pour me préparer ! Allez ! Allez ! Monte encore deux seaux. Et bien fumants !

Emma étouffa une protestation. Elle avait déjà fait l'aller-retour une bonne douzaine de fois. Son dos lui faisait mal. Ses bras lui donnaient l'impression d'avoir allongé de trois ou quatre pouces. La sueur perlait sur son front et mouillait le dos de son chemisier. *Mais on ne questionne pas les ordres de la patronne !* Avec mille précautions, la jeune femme empoigna donc l'énorme chaudron qui chauffait sur le poêle à bois et versa l'eau bouillonnante dans deux seaux en fer-blanc. Puis, agrippant les anses, elle sortit de la cuisine. Se dandinant malgré elle, la petite bonne grimpa les marches jusqu'à l'étage. Le bruit de ses pas était étouffé par l'épaisse moquette qui courait dans l'escalier et sur tout le palier. Elle posa les seaux avant de cogner à la porte de la salle de bain. La voix haut perchée de madame Pelletier lui ordonna d'entrer. D'un geste sec, la dame en peignoir fit signe à sa servante de remplir la baignoire.

— Tu te traînes ! grommela-t-elle pendant qu'Emma vidait les seaux dans la cuve de cuivre. Que faisais-tu ? Encore à t'empiffrer en cachette, je parie ! Pas étonnant que tu sois si grosse. Je ne te paie pas pour que tu engraisses à mes dépens. Je commence à

me demander si on a bien fait de t'engager…
Une fille sans références en plus… On se serait
attendu à un peu plus de reconnaissance !

Emma garda sagement la tête baissée
et ne pipa mot. Elle avait l'habitude des
reproches en cascade. Mieux valait ne rien dire
et en laisser le flot se tarir. Les phrases déplai-
santes glissèrent donc sur le dos de la petite
bonne qui fit le vide dans son esprit. Elle
semblait écouter, mais elle était absente. Une
technique qui l'avait toujours bien servie. Le
silence enfin revenu, Emma fit mine de
se retirer.

— Tu repasseras la robe qui est sur mon
lit, exigea la bourgeoise. Elle est effroyable-
ment froissée. Je ne peux pas porter ça. Ma
tenue doit être impeccable, ce soir. Je te
rappelle que monsieur Pelletier et moi sommes
attendus chez le maire. Rien de moins !

Cette fois, ce fut un reniflement moqueur
qu'Emma réprima. *Comme si j'avais besoin
qu'on me rappelle cet événement historique !* Depuis une semaine, madame Pelletier
ne se pouvait plus de fierté. Tous les prétextes
étaient bons pour ramener sur le tapis le sujet
de l'heure : l'invitation à souper du maire,
Jean-Georges Garneau… Au comble du
bonheur, madame Pelletier passait son temps
à s'éventer, les joues en feu et le souffle court.

L'orgueil lui causait des bouffées de chaleur aggravées par son retour d'âge. Bien sûr, l'invitation de monsieur le maire était intéressée. Les fêtes du tricentenaire de la ville, qui auraient lieu en juillet prochain, nécessitaient des mises de fonds considérables. Emma avait lu un article à ce sujet dans le journal *Le Soleil*, car elle aimait bien lire les nouvelles avant de remplir les pages imprimées d'épluchures de pomme de terre et de pelures d'oignon. Personne n'y trouvait à redire et elle était ainsi au courant de l'actualité. Avec une ou deux journées de retard, certes, mais cela importait peu. Ainsi, Emma se doutait que l'insigne invitation n'était qu'un prétexte trouvé par le maire pour solliciter la généreuse contribution financière de ses plus riches concitoyens. N'empêche, le simple fait d'être convié à cette soirée était la preuve incontestable qu'on appartenait à l'élite de la ville et cela n'avait pas de prix. Monsieur Pelletier, avocat de son métier, l'avait vite compris et n'avait pas rechigné à débourser les vingt dollars réclamés.

— Il paraît que même le premier ministre du Québec sera là! Monsieur Lomer Gouin en personne! Tu te rends compte?

Madame Pelletier n'attendait pas vraiment de réponse. Emma le savait. Elle resta donc muette.

— File, maintenant, enchaîna la maîtresse. Et fais bien attention en repassant la robe. Ne la brûle surtout pas ou je la déduirai de tes gages et il t'en coûtera !

— Je ferai très attention, promit Emma en inclinant légèrement la tête et en empoignant les seaux vides avant que madame Pelletier ne se fasse un plaisir de la rappeler à l'ordre.

Une fois la porte refermée derrière elle, la petite domestique entendit sa patronne lui annoncer qu'elle recevait sa sœur et ses jeunes neveux le lendemain et que des biscuits frais devraient être servis.

— Je m'en occupe, madame.

Emma s'éloigna rapidement avant que d'autres tâches de dernière minute ne lui déboulent dessus. Comme astiquer les casseroles de cuivre. Ou polir les miroirs. Ou encore laver les petits carreaux des fenêtres. La patronne ne manquait jamais d'idées pour occuper sa servante. Elle semblait vouloir tirer le maximum de chaque petit sou qu'elle lui versait. Les seaux vides se balançant au bout de ses bras, se bouchant mentalement les oreilles, Emma s'en fut donc récupérer la fameuse robe étendue sur le lit de madame Pelletier. À sa vue, elle laissa enfin s'échapper le soupir qu'elle refoulait depuis le début de la matinée. Une robe en taffetas à jupe plissée,

21

avec au moins cinquante petits boutons cousus au dos, des manches bouffantes, et assez de dentelle au col et aux poignets pour confectionner une nappe, ou même deux ! Un enfer à repasser… Un vêtement qui coûtait plus cher que ce qu'Emma gagnait en un mois de travail… *J'ai vraiment intérêt à ne pas l'abîmer.*

Tenant les deux seaux d'une main, la robe sur un avant-bras, elle redescendit à la cuisine et bourra le poêle. Il fallait qu'il ronfle pour que les fers qu'elle y déposerait se réchauffent. Alors qu'elle patientait, elle pensa au roman qu'elle avait emprunté à la bibliothèque paroissiale et qui l'attendait dans sa chambrette. Un livre que la jeune bibliothécaire lui avait prêté avec un sourire complice.

— Je viens juste de le terminer, avait chuchoté l'employée. Tu vas l'adorer. Mais ne le montre à personne. Il vient d'arriver et je crois qu'il est à l'Index[2]. Monsieur le curé ne l'a pas encore remarqué…

Emma avait quitté la bibliothèque avec le fameux roman dissimulé au fond de son cabas, sous les légumes qu'elle venait d'acheter au marché. Depuis, elle en lisait quelques pages dès que l'occasion se présentait. Ce qui

---

2. Catalogue des livres dont le Saint-Siège interdisait la lecture, pour des motifs de doctrine ou de morale (*Petit Robert*).

n'arrivait pas souvent, avec tout l'ouvrage sous lequel l'ensevelissait madame Pelletier. Et ce ne serait pas aujourd'hui qu'elle en terminerait la lecture. *La dame aux camélias* d'Alexandre Dumas était donc sauve pour l'instant. Elle ne mourrait pas de phtisie avant le matin. *Je me demande parfois à quoi a songé mon ancienne patronne en m'apprenant à lire et à écrire. Comme si une domestique avait des heures de loisir !*

Emma ressentit une pointe de nostalgie au souvenir de madame Magnan. Celle-ci avait consacré tant d'heures à instruire la petite bonne placée chez elle à treize ans. Les religieuses de l'orphelinat avaient certes inculqué à Emma des rudiments de lecture et d'écriture, mais madame Magnan lui avait appris à aimer les mots et les jolies phrases. Une pensée en entraînant une autre, la jeune femme se remémora vite les autres leçons de vie, moins reluisantes celles-là, imposées par les Magnan. Comment on avait abusé d'elle sans vergogne. Comment on l'avait rejetée quand les conséquences de ces abus étaient devenues manifestes. Emma serra les dents. Elle avait juré qu'elle n'accorderait plus une seconde de ses réflexions à ces méchantes gens. Naïvement, elle espérait que tout s'arrange en les oubliant. Hélas, la réalité la rattraperait bien assez vite.

Pour l'heure, elle secoua la tête, faisant virevolter ses jolies boucles blondes, prit un fer dans sa main et cracha dessus pour en vérifier la température. Satisfaite du résultat, elle entreprit de donner une apparence soignée à la robe aussi fripée qu'une pomme pourrie.

Enfin ! Les Pelletier étaient partis pour la soirée. Emma s'échoua sur une chaise de cuisine, les bras pendants sur les côtés, un peu surprise d'être aussi fatiguée. Elle n'avait cessé de trotter d'un bord et de l'autre de la maison depuis son lever, mais cela n'avait rien d'exceptionnel. Elle avait l'habitude. *Il faudrait sans doute que je mange un peu, je n'ai rien avalé de la journée, c'est peut-être pour ça que je suis aussi à plat,* se dit-elle en reprenant son souffle. Elle croqua dans l'un des biscuits qu'elle venait de sortir du four et se rendit compte qu'elle n'avait pas vraiment faim. Une vague nervosité s'empara d'elle. Malgré sa lassitude, il fallait qu'elle s'occupe à quelque chose. Cirer les planchers ? Non, elle avait trop mal au dos. Astiquer l'argenterie ? Non plus, l'odeur du produit à briller lui levait le cœur ces temps-ci.

D'un air découragé, Emma contempla la pile de vêtements qu'elle avait lavés la veille et qui attendaient maintenant d'être repassés. Si elle avait vraiment besoin de s'activer, elle n'avait pas à chercher plus loin. Mais après l'expérience éprouvante de la robe de taffetas, la petite bonne aurait préféré une autre tâche. Elle ferma les yeux, les rouvrit après quelques secondes, esquissant une moue dépitée devant le tas de jupons et de chemises qui n'avait pas eu la gentillesse de fondre dans le bref intervalle. *Alors, d'accord!* se dit-elle avec humour. *À la guerre comme à la guerre!*

Les premières douleurs la saisirent au moment où elle se leva pour mettre les fers à chauffer. *Mon Dieu! Qu'est-ce qui m'arrive?* se demanda-t-elle, apeurée. Ses craintes se transformèrent en véritable panique quand un liquide chaud coula le long de ses jambes. Hébétée, Emma regarda la flaque translucide s'élargir sur le sol. *Non… pas déjà…* Une main plaquée contre sa bouche, ravalant un cri d'effroi, la jeune femme tenta de se rappeler ce qu'elle avait prévu faire le moment venu. «L'écurie… J'avais décidé d'aller à l'écurie», murmura-t-elle pour elle-même. Après avoir épongé la flaque, la petite bonne se couvrit d'un châle, ajouta une pèlerine et attrapa une lanterne. Luttant contre le vent, elle parvint à ouvrir la porte de la cuisine donnant sur l'arrière-cour. La tempête battait son plein. On était loin des jolis flocons paresseux du midi. La neige tombait dru ; le vent du nord soufflait. Emma n'avait que quelques mètres à parcourir, mais elle faillit se perdre cent fois tant la neige et la panique lui brouillaient aussi bien la vue que l'esprit. Quand elle trouva enfin la tiédeur de l'écurie, la jeune femme pensa qu'il aurait peut-être mieux valu s'égarer dans le blizzard pour l'éternité. Elle releva néanmoins le menton, tentant d'afficher un air décidé à mille lieues de ce qu'elle ressentait vraiment.

La boîte à chaussures était là où elle l'avait cachée. La couverture de laine aussi, ainsi que le bout de papier sur lequel elle avait griffonné son message à l'avance. Emma tira de sa poche une jolie épingle à chapeau chipée à madame Pelletier et piqua le billet sur la couverture. Un nouveau coup de poignard l'étouffa presque. Elle s'effondra sur la paille. Il n'y avait plus qu'à s'abandonner aux vagues de douleur de plus en plus rapprochées dont chaque sommet semblait plus intense que le précédent. Elle se sentait prise dans une tempête, comme celle qui ravageait la ville. Une tempête dont elle ne pouvait s'échapper. Les cris d'Emma se dissipèrent dans la nuit avec le vent sifflant entre les planches du box où elle était cachée. Personne ne l'entendit.

La neige ne semblait pas vouloir arrêter de tomber. Elle s'accumulait en énormes congères au milieu de l'étroite chaussée. Chaque pas exigeait un effort colossal. Pliée en deux, une silhouette avançait péniblement. Enveloppée dans un long manteau dont le capuchon retombait sur son visage, Emma luttait contre les rafales de neige s'engouffrant entre les immeubles. Les lampadaires électriques peinaient à diffuser leur lueur qui se perdait dans de brumeux halos. Le paysage urbain avait quelque chose d'irréel. Néanmoins, la marcheuse atteignit bientôt la côte du Palais et tourna à gauche. Son objectif n'était plus qu'à quelques mètres. Gardant les pans de sa pèlerine bien fermés contre son cœur, rasant les murs comme si elle redoutait d'être vue, elle s'approcha de la porte qu'elle avait repérée au cours des précédentes semaines. Elle entrouvrit son manteau et en tira une boîte de carton dont elle souleva brièvement le couvercle. Elle y enfouit son nez rougi par le froid mordant. Un son qui ressemblait à un miaulement s'échappa du paquet.

Au même moment, deux couples sortirent de l'hôtel Victoria qui avait pignon sur rue juste en face de l'Hôtel-Dieu. Ils s'interpellèrent joyeusement. Ils parlaient fort pour se faire entendre en dépit de la tempête. Ainsi, malgré la distance et le vent, la jeune femme reconnut leurs voix. Des amis de ses employeurs. Des gens qui fréquentaient la belle maison de la rue Saint-Louis. Il ne fallait surtout pas qu'ils l'aperçoivent ici. Ils lui poseraient certainement des questions embarrassantes, s'interroge-raient sur le contenu de la mystérieuse boîte d'où s'échappaient de petits cris. Tout le secret qu'elle avait réussi à garder pendant des mois serait immédiatement éventé. *Les Pelletier sont peut-être même avec eux, tout proche!* s'affola la pauvrette. *Après le souper chez le maire, ils sont peut-être tous venus finir la soirée à l'hôtel? Doux Jésus! Ils se dirigent droit sur moi! Encore quelques enjambées et ils me fonceront dessus!* Paniquée, elle déposa son carton sur la neige et s'enfuit. Les noctambules ne la remarquèrent même pas et passèrent leur chemin sans s'arrêter. La neige continuait de tomber. La boîte à chaussures commença à disparaître. À l'inté-rieur de celle-ci, engourdi par le froid, un petit ange s'était endormi. Dans une main, il tenait un biscuit. Sur la couverture dans laquelle on l'avait emmailloté, un billet était fixé grâce à une épingle à chapeau. La petite perle de verre violette qui l'ornait ressemblait à une pierre précieuse. Mais c'était là un trésor de pacotille.

Le corps brisé, épuisée, celle qui s'était débarrassée de son fardeau n'avait pas les idées bien claires. Elle errait dans les rues du Quartier Latin aussi perdue que si elle y venait pour la première fois, alors qu'elle y circulait chaque jour. Elle traversa le marché public de la côte de la Fabrique sans le reconnaître. Elle mettait un pied devant l'autre sans réfléchir, absente, comme un pantin. Elle ne pensait même pas. Elle aurait été bien en peine de répondre quelque chose de sensé si on lui avait demandé ce qu'elle faisait là. Les dernières heures formaient une masse indistincte dans son esprit, un brouillard de sang, de souffrance et de déchirements. Peu à peu, ce magma se figea en un amas solide, noir et menaçant qui se cacha dans les replis de sa mémoire. Son âme se replia sur elle-même, comme un blessé referme les bras sur le trou béant qui lui ouvre le ventre. Puis l'aube vint, prenant la petite marcheuse par surprise. Elle ne se rappelait plus ce qu'elle faisait dehors à cette heure si matinale, ni ce qu'elle avait fait de sa nuit. Des jeunes gens mani-festement éméchés, sortant d'une taverne, la saisirent par les coudes et l'entraînèrent dans une sinistre sarabande. Ils lui firent boire une eau de feu à même une flasque que l'un d'eux transportait dans sa poche de paletot. Égarée, la jeune femme ne songea pas à protester. Quant à ses ravisseurs, ils riaient et criaient si fort qu'ils ameutèrent tout le voisinage jusqu'à ce qu'une patrouille de policiers à pied les intercepte.

Quelques heures plus tard, la noceuse malgré elle s'éveilla derrière les barreaux, la tête pleine de nuages, un goût amer dans la bouche, les tempes douloureuses et le corps perclus de courbatures. Ses sous-vêtements étaient tachés de sang. Un linge replié qu'elle ne se rappelait pas y avoir glissé était tout rouge et tout poisseux. Elle se dit qu'elle avait ses fleurs[3]. Elle déchira un bout de son jupon, le roula en boule et le mit dans sa culotte. Elle cacha le linge souillé sous le mince matelas de sa couchette. Plus tard, lors de sa comparution, elle répondit n'importe quoi au juge qui voulait savoir son nom. Elle écouta sans les comprendre les accusations qui pesaient contre elle : vagabondage, ivrognerie et désordre sur la voie publique. Elle accueillit sa sentence avec placidité et prit en silence le chemin de la prison. Elle avait perdu tous ses repères.

---

3. Fleurs : terme parfois utilisé à cette époque pour désigner les menstruations.

Lorsque les Pelletier rentrèrent de leur soirée, ils ne constatèrent rien de vraiment spécial. Il était tard, plus de minuit. Les lumières étaient encore allumées dans la cuisine, une distraction inhabituelle de leur employée, mais rien de grave. Par ailleurs, tout était impeccablement rangé. La lessive bien sèche attendait d'être repassée. Les biscuits refroidis avaient été placés dans une assiette et recouverts d'un linge propre. Le couple en conclut qu'Emma s'était retirée dans sa petite chambre de bonne au-dessus de la cuisine, sous les combles. Ils éteignirent les lumières et rejoignirent leurs propres quartiers. Le lendemain matin, comme leur servante ne descendait pas préparer le petit-déjeuner, ils l'appelèrent en agitant une cloche. Pas de réponse. Mécontente, madame Pelletier grimpa les marches de l'escalier de service qui menait à la chambrette d'Emma. La pièce était vide et le petit lit de fer était fait comme si personne ne s'y était couché récemment. Un livre emprunté à la bibliothèque reposait sur la table de nuit, un signet marquant la bonne page, attendant le retour de sa lectrice. Dans la commode peinte en blanc, il y avait encore quelques vêtements. Madame Pelletier aurait été incapable de dire s'il en manquait. La lucarne était bien fermée. Aucun désordre ou signe de précipitation. D'abord surpris par cette disparition, les Pelletier finirent par se convaincre que leur petite bonne s'était amourachée d'un quelconque vaurien avec lequel elle avait pris la fuite. Ils en furent bien marris. Former une domestique, «la mettre à sa main», était un travail épuisant. Ils détestaient l'idée de devoir recommencer avec une autre. Ils décidèrent d'attendre quelques jours avant de se rembarquer dans cette galère. Toutefois, ils se rendirent vite compte qu'ils ne parvenaient pas à se débrouiller seuls. Le lavage et le repassage s'accumulaient. La poussière se déposait partout. Ils mangeaient mal. Les armoires étaient vides. L'évier débordait de vaisselle sale. Aussi, une semaine après le départ de leur servante, ils engagèrent une jeune fille. Celle-là avait des références impeccables : ils ne feraient pas la même erreur deux fois !

Une autre semaine passa et ils oublièrent Emma. Elle avait partagé leur existence durant cinq petits mois. Certainement pas assez pour qu'ils se fassent du souci à son sujet.

2

Années actuelles

Maude Vincent frappa deux petits coups à la porte de la salle des archives. De l'intérieur lui parvint un claquement de talons sur un sol en céramique. Elle n'eut pas à attendre long-temps pour qu'on lui ouvre. Sur le seuil se tenait une jeune femme avec une longue mèche verte lui tombant devant un œil. Elle avait aussi le nez percé et une délicate pierre couleur émeraude scintillait sur sa narine droite. Maude se demanda si la demoiselle assortissait toujours sa pierre à la couleur du jour de sa mèche. Elle refoula un sourire.

— Je peux t'aider ? s'enquit gentiment la punkette.

— Oui, je m'appelle Maude Vincent. J'ai rendez-vous avec madame Julie Sauvageau.

— Bonjour, Maude. C'est moi, Julie Sauvageau. Mais tu peux laisser tomber le *madame.* Je risque de ne pas me reconnaître… Entre, je t'attendais. Tu n'as pas eu trop de mal à nous trouver, j'espère ?

— Pas du tout, mentit Maude qui avait demandé des indications à trois patients et à deux infirmiers.

— C'est bien la première fois que j'entends ça ! déclara l'archiviste. Je travaille à l'institut depuis six mois, eh bien, chaque matin, je dois consulter le plan de l'hôpital pour arriver jusqu'ici. Je te jure. Et encore. La semaine passée, j'ai quand même abouti par erreur à la cafétéria. Misère. Pas fichue de la trouver quand j'ai faim, mais à huit heures du matin elle était là, à la place de mon bureau… Un vrai complot… Bon, suis-moi.

Maude retint de nouveau un sourire et emboîta le pas à l'archiviste. Cette Julie-là ne correspondait pas du tout à l'image qu'elle s'était faite d'une technicienne en documentation. Surtout pas une technicienne en documentation affectée aux archives des Sœurs de la Charité. Celle que Maude avait rencontrée à la maison généralice, quelques mois auparavant, avait beaucoup plus le physique de l'emploi. Une petite souris grise en collants beiges avec des lunettes de lecture au bout du nez, une jupe en polyester gris et un gilet à gros boutons assorti passé sur un chemisier blanc amidonné. Ceci sans oublier les chaussures noires informes, lacées sagement sur des semelles de crêpe ultrasilencieuses. Oui, celle-là était l'archétype de l'archiviste d'une communauté religieuse. Alors qu'avec son pantalon rouge ajusté et bardé de chaînes, son t-shirt noir à l'effigie de Metallicca, ses talons aiguilles et ses divers ornements corporels, Julie Sauvageau n'aurait pas détonné dans un groupe rock *underground*.

— Installe-toi, fit la technicienne en désignant un petit poste de travail muni d'un ordinateur et d'une chaise pivotante. Je reviens tout de suite avec ton dossier.

Maude prit place et posa ses mains bien à plat sur la table, tentant de maîtriser les battements de son cœur. Le moment qu'elle attendait depuis si longtemps était enfin arrivé. Elle allait faire la connaissance officielle d'Emma Tailleur, sa *peut-être aïeule*, internée ici alors qu'elle avait à peine dix-huit ans. L'hôpital Notre-Dame de la Pitié avait beaucoup changé depuis l'époque où la jeune Emma y était entrée. Rasé par deux incendies à une dizaine d'années d'intervalle, il avait dû être entièrement reconstruit. On l'avait aussi rebaptisé trois ou quatre fois. En changeant son nom, on avait peut-être espéré effacer les souvenirs douloureux qu'il évoquait pour plusieurs ; comme si, en le nommant dorénavant « Institut des sciences psychologiques

35

et des neurosciences», on pouvait pulvériser les préjugés associés de tout temps à la maladie mentale. Maude ferma les yeux et se concentra sur les odeurs de chou bouilli et de désinfectant qui se faufilaient sous la porte. Elle désirait se transporter plus de cent ans auparavant, alors que ces mêmes effluves avaient imprégné les lieux. Elle se voyait approchant doucement Emma et essayant d'engager la conversation avec elle. Pourtant, Maude le savait, même en voyageant dans le temps, rien ne prouvait qu'Emma se serait confiée à elle. D'autres l'avaient abordée à l'époque et étaient repartis bredouilles.

La jeune femme secoua la tête pour chasser ces sombres pensées. Le simple fait d'être ici tenait déjà du miracle. Il lui avait fallu tirer tant de ficelles pour que se relâchent les voiles tendus sur le passé et que s'ouvrent enfin les portes des archives des Sœurs de la Charité. Doctorante en histoire, Maude avait choisi d'étudier le quotidien asilaire et carcéral des femmes québécoises du siècle dernier quand elle avait découvert, par le plus grand des hasards, qu'une adolescente de sa famille avait probablement goûté de près à cette amère médecine. Une médecine chargée de bonnes intentions, mais dont les moyens très limités condamnaient le plus souvent les malades à une vie cloîtrée, coupée du reste du monde et de la mémoire collective. Il s'en était fallu de peu, d'ailleurs, pour que cette aïeule demeure à tout jamais oubliée.

Au début de cette aventure, Maude, en deuxième année de bac, avait eu à tracer l'arbre généalogique de sa famille sur cinq générations. Elle n'avait eu aucune difficulté à le produire pour le côté maternel des branches. Mais elle s'était heurtée à des difficultés une fois parvenue au niveau de son arrière-grand-père paternel. Pas moyen de remonter plus haut… Le petit Adrien Vincent semblait sorti de nulle part. Il apparaissait soudain, tout seul, sans frères ni sœurs, sans père ni mère, solitaire point de départ d'une lignée qui constituait sa seule famille connue.

Maude aurait pu en rester là, car il ne s'agissait que d'un simple travail pratique visant à mettre les étudiants en contact avec la réalité du terrain. *CQFD* – ce qu'il fallait démontrer –, aurait pu dire Maude. *Rien n'est jamais aussi simple qu'on le croit, même produire un tout petit arbre généalogique sur cinq générations.* C'était là l'objectif du professeur quand il leur avait donné ce devoir : prouver à ses étudiants que l'histoire est souvent cachottière et que, pour qu'elle livre ses secrets, il faut régulièrement déployer des trésors d'imagination ! Ainsi, Maude aurait pu se satisfaire d'un arrière-grand-père orphelin. Toutefois, la jeune femme était extrêmement curieuse. Qu'un de ses ancêtres surgisse apparemment du néant lui avait fait l'effet d'une forfanterie intolérable. *Comme si on pouvait se faire soi-même !* avait songé la future doctorante. *Adrien, je vais percer le secret de ta naissance !*

Les registres de l'état civil lui avaient révélé qu'Adrien était né le vingt-deux janvier mille neuf cent huit, le jour de la Saint-Vincent, d'où son patronyme sans doute. Puis des recherches un peu plus fouillées avaient permis à Maude de découvrir que son aïeul avait été recueilli par la crèche des Saints-Anges, dont s'occupait la communauté des Sœurs de la Charité. Après d'innombrables lettres et téléphones, après avoir obtenu les incontournables autorisations officielles, l'étudiante avait pu accéder aux sacro-saintes archives de la communauté religieuse. Ainsi, sous l'œil soupçonneux d'une souris grise surveillant la collection comme si elle faisait partie des merveilles du Vatican, Maude avait épluché des tas de dossiers poussiéreux avant de retrouver son petit ancêtre. Son cœur s'était serré en découvrant qu'il était arrivé à l'hospice des Saints-Anges avec un message épinglé sur la poitrine : « Occupez-vous bien de moi. » On l'avait appelé Adrien Vincent. *Adrien* en l'honneur du saint patron des messagers, à cause du billet, et *Vincent* en raison du calendrier. Pas de mère ou de père présumés et encore moins déclarés. Le mystère serait demeuré entier si Maude n'était pas tombée sur une note manuscrite, au verso du formulaire d'admission à la crèche. Cette note datait du mois de septembre mille neuf cent huit :

Bien qu'il ne soit pas dans nos habitudes, ni de nos responsabilités, de chercher à retrouver les pauvres mères forcées d'abandonner leur bébé chez nous, le seize août dernier, notre chère sœur Aurélie de Grâces s'est rendue à l'asile Notre-Dame de la Pitié. Elle désirait s'y entretenir avec une jeune malade internée depuis le printemps. Il faut savoir que notre communauté a fondé trois institutions à Québec : l'hospice de la Miséricorde où accouchent les jeunes filles-mères, la crèche des Saints-Anges, où les bébés abandonnés sont recueillis, et l'asile Notre-Dame, où sont soignés les déments. Or était venue aux oreilles de sœur Aurélie la triste histoire d'une jeune femme transférée de la prison à l'asile Notre-Dame au motif d'une grave tentative de suicide. Selon sœur Clotilde du Sacré-Cœur, qui s'occupe de la salle Sainte-Madeleine où est gardée cette malade, et qui est la bonne amie de notre sœur Aurélie, il semblerait que cette pauvre âme

*s'accuse d'avoir tué son bébé en l'aban-
donnant sur la neige, un soir de tempête. Des recoupements qu'il serait trop
long d'énumérer ici nous ont fait soupçonner que cette malade était en fait
la mère d'un bébé que nous avons
recueilli, bien vivant, la nuit du vingt-
deux janvier mille neuf cent huit, dans
un contexte qui pouvait laisser croire
à la jeune mère qu'il était décédé.
L'entretien de sœur Aurélie avec Emma
Tailleur a, hélas, été une totale décep-
tion. Selon ce que nous a rapporté notre
bonne sœur, il n'y a rien de sensé à tirer
de cette aliénée. J'ai bien peur que le
petit Adrien soit avec nous pour y rester,
à moins qu'une généreuse famille ne
veuille de lui. Par malheur, eu égard
aux circonstances particulières dans
lesquelles le petit Adrien est arrivé chez
nous, il sera boiteux. J'ai le regret de dire
que les parents adoptifs préfèrent les
petits qui n'ont pas de handicaps. La
charité chrétienne m'interdirait norma-
lement de tracer ces mots, mais je le
répète : à moins que des cœurs ne se
laissent bientôt toucher par la grâce
divine, Adrien est avec nous pour
y rester.*

Maude avait parcouru cette notice telle-
ment de fois que sa vue était embrouillée.
Évidemment, rien ne prouvait qu'Emma
Tailleur soit la mère d'Adrien et donc l'aïeule

de l'enthousiaste doctorante. *L'aliénée dont il n'y avait rien de sensé à tirer* n'avait pas confirmé les hypothèses de sœur Aurélie. Si Maude était à l'Institut des sciences psychologiques et des neurosciences aujourd'hui, c'était justement pour essayer d'aller au fond des choses. Dans ce but, elle avait réussi à obtenir l'autorisation du directeur des services professionnels de l'hôpital d'accéder aux dossiers du début du siècle dernier.

Aujourd'hui était donc le grand jour et, bientôt, Julie Sauvageau lui apporterait les documents d'archives portant sur Emma. Maude les lirait et tout s'éclairerait.

Mais si l'histoire a l'étrange manie de se répéter, elle a aussi des caprices de coquette en mal d'attention. Et pas seulement dans les arbres généalogiques sur cinq générations! Elle aime plus que tout se faire désirer, comme le démontreraient les paroles de la technicienne en documentation qui venait de réapparaître devant l'étudiante.

— Voilà! dit-elle en laissant tomber une caisse remplie d'antiques documents.

Maude sentit ses sourcils grimper au milieu de son front.

— C'est le dossier d'Emma Tailleur?

Elle n'en revenait pas de sa chance. Un de ses professeurs lui avait pourtant affirmé que les dossiers médicaux des années mille neuf cent étaient d'une minceur qui frisait la cachexie et que c'était encore pire pour les dossiers psychiatriques, deux ou trois pages suffisant parfois à résumer une vie entière à l'asile. On soufflait dessus un peu trop fort et on risquait de les voir disparaître en fumée.

Julie se sentit obligée de préciser :

— Pas vraiment… J'avais suggéré à notre stagiaire de le préparer pour toi, mais elle n'a pas eu le temps. Alors, voici les chemises des patientes dont le nom de famille commençait par *Ta*. Avec de la chance, le dossier que tu cherches est quelque part là-dedans. Sinon, il y a encore quelques caisses de *Ta*. Je te les apporterai s'il le faut.

Les épaules de Maude suivirent le chemin inverse qu'avaient emprunté ses sourcils quelques secondes auparavant.

— Humm… D'accord. Vous fermez à quelle heure ?

— Dix-huit heures.

Il était treize heures. La doctorante remercia Julie qui en profita pour s'éclipser, craignant sans doute que Maude lui demande de l'aider à démêler tout ce fatras. *Espèce de tire-au-flanc !* rouspéta intérieurement l'étudiante. À la suite de quoi elle retira son petit veston bon chic, bon genre, roula ses manches de chemisier et plongea un bras dans le carton. Georgine Tallerand. Elle mit le dossier de côté. Fernande Taillefer. Il rejoignit le précédent. Cordélia Tardif. Écarté, lui aussi. La boîte restait pleine à craquer. Pour se donner l'impression d'avancer, Maude se leva, empoigna la caisse et la renversa sur la table de travail qui jouxtait son poste informatique. Un nuage de poussière s'éleva dans les airs et la fit éternuer. Puis la chercheuse éparpilla les chemises et en saisit une au hasard.

Les noms écrits sur les documents la narguaient et semblaient l'interpeller. *Je m'appelle Rosanna, Agnès, Noémie. Tu dis que tu étudies l'histoire et tu négliges la mienne? Qui es-tu, Maude Vincent? Tu penses que je n'ai rien à t'apprendre?*

La curiosité, qui avait toujours motivé l'historienne, l'emporta bien évidemment. Maude se rassit et ouvrit le premier dossier qui lui tomba sous la main. Cinq heures plus tard, elle n'avait toujours pas découvert celui d'Emma Tailleur, mais elle avait vu des pans de vie s'animer brièvement sous ses yeux. Fugaces comme des étoiles filantes. Rien ne ressusciterait ces femmes dont la plupart avaient passé des décennies à l'hôpital psy-chiatrique avec pour toute mention une date d'admission, un vague diagnostic et une date de décès. D'ailleurs, seule une douzaine des soixante dossiers parcourus par Maude arboraient une date de départ. *Les aliénistes ne devaient pas se vanter de leur taux de guérison*, songea l'étudiante. *La majorité des patientes n'ont dû quitter l'asile que le jour de leur mort…* Malgré tout, dans certains dossiers, la jeune femme trouva quelques lettres de proches s'enquérant des progrès d'une parente auprès du surintendant médical. Pour les autres, la plupart, presque rien. Idiotie, délire, mélancolie, paranoïa, folie des dégénérées, folie circulaire ou folie périodique… Le médecin s'était contenté d'énoncer un diagnostic et c'en était fait. Tant de vies emmurées… Tant d'existences gaspillées…

Fleurette Tanguay, l'une des aliénées, avait été admise en mille neuf cent dix-sept, juste avant la fin de la Première Guerre mondiale. Elle était morte soixante ans plus tard, en mille neuf cent soixante-dix-sept, un an après la première élection du Parti québécois. Pendant qu'elle vivotait derrière l'enceinte de l'asile, il y avait eu une seconde grande guerre, Hitler avait exterminé des millions de Juifs, Duplessis avait mené le Québec de sa main de fer, les femmes québécoises avaient acquis le droit de vote, il y avait eu Jean Lesage, la Révolution tranquille et la pilule contraceptive… Les concitoyennes de Fleurette avaient pris d'assaut les universités et avaient conquis la planète. On avait même marché sur la Lune. Mais Fleurette n'en avait probablement rien su. Coupée du monde, elle avait traversé la vie comme une ombre. Pauvre petite fleur desséchée par l'oubli. Qui avait pris la peine de s'intéresser à elle ? Et à toutes les autres auxquelles le destin avait réservé un rôle de pâle figuration ? Maude songea que sa lecture avait peut-être allumé une étincelle dans cet autre univers que l'on atteint éventuellement après la mort. Là où elles étaient, Fleurette, Georgine, Cordélia, Fernande et Rosanna sentaient peut-être que quelqu'un pensait enfin à elles. *Bien des peut-être…,* se dit Maude en replaçant à contrecœur les dossiers dans le carton.

— Tu as trouvé ? lui demanda Julie réapparue quelques minutes avant dix-huit heures.

— Pas exactement ce que je cherchais, mais j'ai trouvé, oui. Pour le reste, je reviendrai demain.

— Pas de problème. Tu es la bienvenue.

3

Février mille neuf cent huit

La routine immuable de la prison pour femmes de Québec convenait parfaitement à la nouvelle venue. Elle s'était glissée dans son rôle de prisonnière aussi aisément que dans l'uniforme de tissu grossier qu'on lui avait remis le premier jour. Incapable de payer l'amende réclamée par le juge, elle s'attendait à passer six mois en prison. Six mois à ne pas se poser de questions. Une aubaine à ses yeux. Elle avait presque l'impression d'être dans un couvent. Quand sonnait chaque heure, le mutisme imposé par les religieuses dirigeant l'endroit était interrompu par quelques prières récitées à voix haute. Puis, le silence reprenait ses droits. Partout sauf dans le quartier réservé aux femmes enceintes et aux nouvelles mamans. Car il y avait là

47

quelques enfants autorisés à demeurer avec leurs mères jusqu'à l'âge de quatre ans, moment où ils étaient remis à l'orphelinat ou à un membre de leur famille. Dans cette partie de la prison, les détenues pouvaient parler autant qu'elles le voulaient. De surcroît, elles ne portaient pas d'uniforme, préparaient leurs propres repas et surveillaient leurs enfants qui jouaient dehors ou dans une grande salle spécialement aménagée. L'une d'elles avait appris à la jeune prisonnière que, sous la neige, il y avait du gazon et même un bac à sable où les petits pouvaient s'amuser l'été venu.

Autant que possible, la nouvelle arrivée évitait de s'aventurer dans cette section de la prison. Pour une raison qu'elle ne parvenait pas à s'expliquer, les pleurs des enfants, des bébés surtout, la remuaient profondément. Ils s'incrustaient en elle, se dissimulaient dans de sombres replis de sa pensée et revenaient la hanter des heures après le couvre-feu. Elle les entendait longtemps après que la nuit fut tombée. Parfois, ils l'empêchaient de dormir. Aussi, afin d'éviter de passer le balai dans cette aile, la jeune détenue s'arrangeait pour travailler au rouet ou au métier à tisser, des occupations aux gestes répétitifs, hypnotiques. Elle devenait une poupée mécanique qui bougeait sans réfléchir, coupée des autres et d'elle-même. Mais ce que la jeune femme à peine sortie de l'enfance aimait par-dessus tout, c'étaient les corvées à la buanderie. Laver le linge lui donnait l'impression de se laver elle-même, de se purifier. De quoi? Elle aurait été bien en peine de le dire. Elle savait juste qu'elle se sentait toujours sale... Elle brassait les draps et les serviettes dans de grandes cuves d'eau savonneuse chauffées sur des feux qu'il fallait continuellement alimenter. La vapeur l'enveloppait et se déposait en perles fines sur sa peau. Alors, pendant un bref moment, elle parvenait à se sentir un peu propre. Elle appréciait aussi la chaleur ambiante qui lui faisait oublier les bourrasques glacées que l'hiver soufflait sur la cité et qui paraissaient s'infiltrer jusque dans ses os. Depuis qu'elle avait été emmenée à la prison, elle avait toujours froid. Par-dessus son uniforme gris de détenue, elle empilait les chandails, sans jamais réussir à se réchauffer. Sauf dans l'atmosphère étouffante de la buanderie où elle se soulageait de quelques pelures. L'ouvrage dur qu'on devait accomplir à la laverie en rebutait plus d'une, mais la jeune femme était toujours volontaire.

Aux repas, elle mangeait ce qu'on lui donnait sans y goûter ; du gruau et du pain au déjeuner, la même chose au dîner et au souper avec en prime des navets ou des carottes et, parfois, quelques onces de viande.

Autrefois, elle avait été un peu dodue, appétissante comme un beau gâteau doré à point sortant tout juste du four. Gourmande, elle avait longtemps eu pour habitude de prélever une petite part sur les plats préparés pour ses patrons, s'assurant ainsi que les saveurs étaient exactement comme elle le voulait. Mais son appétit s'était envolé. Elle maigrissait à vue d'œil et, bientôt, son uniforme de prisonnière flotta sur ses hanches. On lui en fournit un autre sans s'inquiéter de ce que cette perte de poids pouvait signifier.

Quand on s'apercevrait à quel point elle allait mal, il serait trop tard.

Années actuelles

— Je me suis perdue, admit Maude sans ambages. J'étais rendue tellement loin qu'il a fallu que le médecin de garde m'amène jusqu'ici sur sa voiturette électrique.

— Je parie que tu étais dans les tunnels, tu as dû te tromper d'étage en prenant l'ascenseur pour descendre aux archives, s'esclaffa Julie Sauvageau en ramenant sa mèche verte derrière l'oreille.

— Exactement. C'est un peu épeurant là-dessous… Ça m'a fait penser aux catacombes de Paris. Sans les ossements, évidemment. Ils vont jusqu'où, ces tunnels ?

— Jusqu'à Rome ! blagua la punkette. En réalité, précisa-t-elle, ils vont jusqu'à un pavillon situé en bordure de l'autoroute Félix-Leclerc.

— Franchement, je crois que j'y étais presque. À bien y penser, il me semble avoir entendu des tas de voitures me passer au-dessus de la tête, pouffa l'étudiante en histoire.

— Je me disais aussi, déclara Julie. Hier, tu as bénéficié de la chance du débutant. Bienvenue dans ma réalité quotidienne !

Chance du débutant ? songea Maude. *Pas dans ce qui compte vraiment, puisque je n'ai pas avancé d'un poil dans mes recherches sur Emma Tailleur.*

— Je t'ai fait monter un autre carton, fit l'archiviste. J'espère que tu mettras la main sur le dossier que tu désires.

— Je l'espère aussi… Juste une petite question en passant, il y en a combien ?

— Combien… Combien de quoi ?

— De boîtes de dossiers de patientes avec un nom de famille commençant par *Ta* ?

— Je n'ai pas compté. Mais à vue de nez, il y en a bien une quinzaine.

Maude se rembrunit.

— O.K. Je ferais mieux de commencer, alors, dit-elle en s'installant à la même table de travail que la veille.

— Je te laisse. Bon succès. Durant ma pause, je viendrai voir où tu en es.

— Merci, c'est gentil ! Et si jamais je suis en train de me noyer dans le papier, tu me lanceras une bouée de sauvetage…

— Je t'emmènerai plutôt boire un café à la cantine.

— Génial. Comme ça on pourra se perdre pour le reste de la journée !

Lorsque Julie se présenta deux heures plus tard, Maude n'était pas loin de sombrer dans un découragement abyssal. Non seulement elle n'avait rien découvert sur Emma, mais ses lectures distillaient une tristesse infinie qui s'infiltrait sournoisement en elle. Son esprit ressemblait à un manège sur lequel tournaient des femmes misérables et inconnues. Il y avait Juliette, admise à l'asile et nourrie de force parce qu'elle refusait systématiquement de s'alimenter pour se punir de fautes imaginaires ; puis Léontine, persuadée de parler avec les anges et avec ses parents décédés depuis une décennie ; sans oublier Simonne, persécutée par la fée Électricité et espionnée par les fils de téléphone. Et Flora, et Albertine, et tant d'autres… Maude se les imaginait, confuses, hagardes, souffrant terriblement à une époque où la psychiatrie avait peu à offrir. Lorsqu'elle fermait les yeux, la chercheuse pouvait presque toucher leur folie.

— Toi, tu as besoin d'un bon remontant, affirma la technicienne quand elle aperçut la mine défaite de Maude. Viens avec moi !

Cinq minutes plus tard, devant une tasse de thé vert fumant, les deux jeunes femmes faisaient plus ample connaissance. Maude résuma les objectifs de sa thèse de doctorat. Julie expliqua qu'elle travaillait à l'hôpital à temps partiel, se consacrant par ailleurs à des études en service social.

— Les archives, c'est bien joli. Mais ça ne me suffit plus. J'ai besoin de sentir que je fais une différence dans la vie des gens, de les voir, de parler avec eux. J'ai une copine à la DPJ[4]. Elle me raconte ce qu'elle fait et ça me semble super. Je pense que j'aimerais me joindre à son équipe.

— Je t'admire… Moi, les histoires d'enfants abandonnés ou négligés, ça me chavire. Tu vois dans quel état ça me met de

---

4. DPJ : Direction de la protection de la jeunesse. Organisme chargé de l'application de la Loi sur la protection de la jeunesse (LPJ). La LPJ s'applique aux enfants qui vivent des situations compromettant ou pouvant compromettre leur sécurité et leur développement.

lire des dossiers d'il y a cent ans... Imagine avec des gamins en chair et en os! Je finirais par devenir alcoolique... pour arrêter de penser à eux tout le temps...

Julie esquissa un sourire apaisant.

— Tu devrais prendre congé, cet après-midi.

— Je ne peux pas! s'écria Maude. Il faut que j'avance dans mes recherches!

— Si j'ai bien compris, tu fais une thèse de doctorat sur l'histoire asilaire des femmes, pas juste sur l'une d'entre elles. Pour le moment, le dossier d'Emma Tailleur t'échappe. Mais tu peux avancer autrement ton travail. Tu pourrais t'offrir une petite visite au musée, suggéra-t-elle.

— Le musée? Quel musée? Et puis quel est le rapport entre des œuvres d'art et l'asile?

— Il y a un musée ici même, à l'Institut. Tu y apprendras l'histoire de l'hôpital depuis sa fondation au dix-neuvième siècle. Ils ont reconstitué des salles de traitement de l'époque, des séjours, des salles à manger et des dortoirs. Il y a une magnifique collection de photographies anciennes et des tableaux réalisés par des patients. Ça te changera les idées et, en même temps, je suis certaine que ça te sera utile.

— Je pense que tu as raison, admit Maude qui sentait se préparer une colossale crise d'éternuements à l'idée de replonger tout de suite dans les antiques dossiers poussiéreux.

À ces mots, Julie Sauvageau tira son cellulaire de sa poche et composa quatre chiffres. En moins d'une minute, elle avait arrangé un rendez-vous pour la doctorante. La conservatrice du musée pouvait la recevoir immédiatement.

— Je vais même t'y conduire! annonça l'archiviste. C'est pas gentil, ça?

Julie avait eu absolument raison.

Maude passa trois heures au musée et en sortit l'esprit rempli d'images. Pendant plusieurs longues minutes, elle s'était absorbée dans une grande photographie qui montrait une salle des dames en mille neuf cent huit. Une dizaine de femmes étaient sagement assises, quelques-unes sur des berçantes, d'autres devant des rouets. Les cheveux relevés en chignon, elles portaient des chemisiers à manches longues et collerettes blanches, des jupes dont l'ourlet frôlait le sol et des tabliers immaculés, sans fioritures. Leurs mains reposaient sur leurs genoux. Elles ne souriaient pas. Trois religieuses semblaient veiller au bon déroulement de la séance de photo. En robes et voiles noirs, des croix métalliques sur la poitrine, le visage encadré de minces bandes de tissu blanc, elles semblaient à la fois sévères et bienveillantes. La salle était inondée de lumière provenant de grandes fenêtres devant lesquelles s'épanouissaient d'énormes fougères. Le sol était couvert de tuiles en losange, tantôt noires, tantôt blanches, formant un motif qui se perdait sous différents tapis tressés. Au mur, une horloge, des tableaux religieux et des crucifix.

Comme Maude aurait aimé pouvoir sauter dans la photographie et échanger quelques mots avec ces femmes depuis longtemps disparues ! Qui sait, Emma Tailleur était peut-être parmi elles ? Était-ce la petite blonde effacée qui détournait le regard ? Ou plutôt cette brunette à l'air effronté qui paraissait fixer l'objectif ? Était-il possible que l'une des religieuses du cliché soit sœur Clotilde du Sacré-Cœur, celle qui avait organisé la rencontre entre sa compagne travaillant à la crèche et sa patiente s'accusant d'infanticide ? Quelle avait été la vie de ces personnes aux traits immortalisés par l'appareil du photographe ? De quoi avaient-elles parlé avant de prendre la pose ? Et après ? Et le lendemain ? Et tous les jours qui avaient suivi ?

Au fil de sa visite, Maude avait senti revenir en force le frisson d'excitation qui la motivait et la poussait dans ses recherches. Ce frisson qui lui faisait passer des nuits blanches, penchée sur des documents ennuyeux pour mourir aux yeux de la plupart des gens, mais qui la passionnaient au point d'en oublier de boire et de manger ! Et c'est presque en gambadant qu'elle avait parcouru le reste de l'exposition. Avec la permission de la conservatrice, elle s'était assise derrière le bureau du surintendant médical et avait effleuré du doigt l'antique stéthoscope qui reposait sur le sous-main en cuir. Elle avait admiré la bibliothèque vitrée et rêvé d'ouvrir les gros volumes aux titres embossés en lettres dorées. Avec la complicité de son hôtesse, la jeune femme avait même pris la place d'une aliénée en cellule d'isolement. Puis elle était passée au dortoir qui avait accueilli les patientes plus sages. Son petit tour du musée lui avait donné l'impression de frôler la réalité quotidienne de sa *peut-être aïeule*. Aussi, c'est animée par un courage renouvelé qu'elle était redescendue aux archives.

Son énergie était belle à voir. Les piles de dossiers révisés gagnèrent rapidement en hauteur. Par moments, l'étudiante sifflotait l'air des sept nains du *Blanche-Neige* de Disney. Un peu plus et on se serait attendu à ce que les fichiers prennent vie et se rangent tout seuls, par magie.

Vers dix-sept heures trente, la chance ne put résister à autant d'enthousiasme. La jeune femme venait de s'attaquer à un autre carton plein de dossiers quand, sur le premier de la série, elle aperçut le nom tant espéré. Maude s'immobilisa. Comme cela arrive souvent quand on déniche enfin ce qu'on a longtemps cherché, elle hésita d'abord à le toucher. Comme si, protégé par un ensorcellement, l'objet de sa quête pouvait se dissoudre à son contact. Elle commença par examiner l'extérieur du document. Puis elle relut cinq ou six fois le nom dactylographié sur l'onglet. Aucun doute possible : c'était bien celui d'Emma Tailleur. Ensuite, elle s'enhardit à l'effleurer avant de soupeser le tout. Elle se réjouit de constater que, sans peser une tonne, la chemise était suffisamment lourde pour contenir plusieurs pages. Contrairement aux dossiers faméliques qu'elle avait vus jusque-là, celui d'Emma avait l'air drôlement étoffé. Il inclurait certainement un tas de renseignements passionnants, pas seulement un diagnostic tout sec, à peine accompagné de quelques dates. Non, il y aurait des détails, des notes cliniques, possiblement même une histoire de cas et un examen mental en bonne et due forme.

Tout était là, à portée de main. Néanmoins, la doctorante se sentit subitement très indiscrète. Elle se mit à la place d'Emma et pensa qu'elle n'aurait pas aimé qu'une inconnue mette son nez dans ses affaires privées. Une inconnue qui était peut-être de sa famille, certes, mais peut-être pas non plus. Que faire ? Avant que les scrupules ne la paralysent tout à fait, Maude choisit d'ouvrir la chemise cartonnée et en feuilleta le contenu. Elle sentit son cœur manquer quelques battements, puis s'affoler. Zut ! Elle s'était réjouie pour rien… Il ne s'agissait manifestement pas du dossier d'Emma. En fait, il ne s'agissait pas d'un dossier du tout… Seulement des feuilles disparates, agrafées ensemble à peu près n'importe comment. Pourtant, le nom d'Emma Tailleur était bien inscrit sur la chemise. Donc, le dossier de sa *peut-être aïeule* existait pour de vrai. Mais où était-il ? Comment allait-elle le retrouver ? Mal classé, il était sans doute perdu à jamais… Pire que la fameuse aiguille dans sa botte de foin. Maude sentit des larmes de frustration lui brouiller la vue. *On se calme*, se fustigea-t-elle aussitôt. *Les notes concernant*

Emma ont pu tout bonnement glisser hors de leur chemise et tomber quelque part dans la boîte. À toute vitesse, elle fit l'inventaire de celle-ci. Pas de dossier volant. Pas de feuilles au nom d'Emma, égarées, coincées dans d'autres chemises. Zut et rezut! Franchement, l'Institut des neurosciences avait beau porter un nom respectable, il ne pouvait pas se vanter de son service d'archives… Que de négligence! Mais Maude se souvint alors d'un détail. *J'y pense, Julie ne m'a-t-elle pas confié qu'un incendie avait ravagé la partie de l'asile destinée aux femmes il y a soixante-dix ans?* Selon ce que lui avait révélé la technicienne, non seulement une dizaine de patientes avaient-elles péri, incapables de fuir par les fenêtres grillagées, mais de surcroît des centaines de dossiers avaient été endommagés par les flammes, la fumée et l'eau. Tout ce qui n'avait pas été détruit avait été replacé un peu pêle-mêle. Il avait fallu des décennies pour redonner aux archives un semblant d'organisation. Il ne s'agissait donc pas vraiment de négligence, plutôt de malchance. Le dossier d'Emma avait sans doute été éparpillé par mégarde : la couverture ici, le reste, si Dieu le voulait, dans un autre carton. Hélas, négligence ou malchance, le résultat était le même : le précieux dossier avait tout d'un trésor insaisissable….

Une fois la dernière chemise du carton scrutée à la loupe, Maude dut se rendre à l'évidence : les informations concernant Emma Tailleur lui échappaient encore. Dépitée, elle décida d'accorder un peu d'attention au cahier grossièrement assemblé placé apparemment par erreur dans la chemise d'Emma. Ce n'était pas ce qu'elle cherchait. Pourtant, ce n'était pas sans intérêt. *Loin de là,* se dit-elle après avoir lu le premier paragraphe de l'étrange texte.

Maude l'ignorait, mais le hasard venait de l'entraîner sur des chemins inexplorés dont elle sortirait transformée.

4

Mars mille neuf cent huit

Amaigrie, insomniaque par choix, car le sommeil ne lui apportait que des cauchemars, la prisonnière dépérissait de jour en jour. Les pleurs des bébés ne cessaient jamais. Elle les entendait tout le temps, partout : pendant la prière, devant le métier à tisser, même au-dessus de la cuve où elle agitait le linge sale. Cette tâche ne l'apaisait plus. La pauvre se sentait souillée au plus profond d'elle-même. Parfois, quand on ne la regardait pas, elle plongeait une tasse émaillée dans l'eau bouillonnante et en avalait une longue lampée, comme si le lessi possédait le pouvoir magique de nettoyer son intérieur. Elle se brûlait la bouche et la gorge. Mais le soulagement ne suivait pas.

Elle évitait les autres, persuadée qu'elle dégageait une odeur immonde. Elle se lavait frénétiquement au point d'écorcher sa peau et des plaies vives suintaient sous le tissu rêche de son uniforme. Elle avait mal, mais ne se plaignait pas, certaine de mériter cette punition probablement divine. Elle avait même pris une vilaine habitude, celle de se piquer la poitrine avec des aiguilles qu'elle volait à la salle de couture. En secret, elle entretenait ses blessures. Un jour, une surveillante la surprit alors qu'elle glissait une aiguille dans sa poche. La jeune prisonnière fut sermonnée, privée de souper et dorénavant exclue de l'atelier. Malheureusement, personne ne songea à lui demander ce qu'elle avait prévu faire avec l'aiguille. Elle se sentait si mauvaise qu'elle ne protesta pas devant la sanction. Les jours suivants, elle constata que ses compagnes détournaient le regard en la croisant. Elle devina que celles-ci voyaient la pécheresse qui se cachait tout au fond, sous ses dehors de blond chérubin. Elle entendait les autres détenues lui chuchoter de faire ce qu'il fallait. «Faiseuse d'anges… C'est une faiseuse d'anges… Elle devrait débarrasser la place.»

Débarrasser la place? Mais comment? Elle ne comprit pas immédiatement. Les voix jouaient avec ses nerfs, ne lui communiquant que des informations confuses. Elle se boucha les oreilles avec des petits bouts de chiffon effiloché. Rien à faire, les voix continuaient, harcelantes, déroutantes. Puis, avec le temps, tout devint clair.

Un matin de mars, alors qu'une monstrueuse tempête de neige faisait rage à l'extérieur et après une autre nuit blanche, elle prit sa décision. Elle se sentit aussitôt légère. Il lui sembla même que les autres détenues lui souriaient, approuvant son choix. Elle se rendit à la buanderie et attendit le bon moment, celui où personne ne l'observerait. Quand il arriva, elle se dirigea sans hésitation vers l'armoire verrouillée où l'on conservait les produits toxiques servant à fabriquer la lessive. La clé était sur la porte plutôt que sur le trousseau d'une surveillante comme le règlement l'exigeait. Autre signe incontestable qu'elle s'apprêtait à faire le bon geste. Le geste juste. Celui par lequel elle expierait ses péchés. Une grande paix se répandit en elle. Posée, elle s'empara du pot de soude caustique, versa la poudre dans un bol d'eau et avala le tout. Le liquide extrêmement corrosif coula dans sa gorge comme de la lave. Elle le sentit qui emportait sur son passage toute la noirceur qui l'habitait. Elle était pure, blanchie, enfin…

Années actuelles

Après le premier paragraphe, Maude suspendit sa lecture et détailla le drôle de cahier sur lequel elle était tombée. Il semblait s'agir du journal intime d'une personne dont l'approvisionnement en papier était pour le moins difficile, comme en témoignait la variété de matériel auquel avait eu recours son auteure. Du beau papier blanc de qualité alternait avec des feuilles lignées aux bordures déchirées, apparemment tirées d'un carnet relié, pour ensuite être remplacé par du papier brun grossier et râpeux. *Ça ne peut quand même pas être ce que je pense,* se dit la chercheuse, hésitant entre l'amusement et le dégoût. *Mais oui,* conclut-elle après quelques secondes d'examen attentif, *c'est bien du papier de toilette. De l'ancien temps, rugueux à souhait, mais reconnaissable. Franchement ! Faut-il avoir besoin d'écrire à tout prix pour se résigner à utiliser ça !* Secouant la tête, Maude poursuivit son examen. Elle se rendit compte que l'écrivaillon déchaîné avait même écrit sur des pages de journal. Les lettres calligraphiées se superposaient aux caractères d'imprimerie, créant un extravagant fouillis, pénible à déchiffrer.

Néanmoins, Maude ne se découragea pas. Avec mille précautions pour ne pas abîmer le document fragilisé par les ans, elle se remit à lire. Une certaine Blanche Taylor se présentait comme la narratrice de cette chronique. Un nom que Maude n'avait encore vu sur aucun dossier. *Ça ne s'améliore pas, mon affaire,* songea-t-elle un peu piteusement. *Me voilà maintenant à la recherche de deux dossiers! Celui de ma* peut-être aïeule *et celui de cette écrivaine en herbe… Et selon Julie, il y a quinze autres caisses de chemises à étudier. Si je sors d'ici pour Noël, ce sera un miracle! Bon… Quand le vin est tiré, il faut le boire, paraît-il. Alors, buvons!* se dit-elle avant de se replonger dans le journal de Blanche. Quelques instants suffirent pour convaincre Maude qu'elle avait déniché un trésor. C'était encore mieux que la photo du musée car, cette fois, la jeune femme eut l'impression que le passé l'aspirait tout entière.

Le monde autour d'elle disparut subitement.

Je m'appelle Blanche Taylor, j'ai dix-huit ans, et je suis ici sous de faux prétextes. Je sais que de tels propos ne me distinguent absolument pas des autres malades. C'est bien connu: tous les internés, même les plus cinglés, protestent avec véhémence de leur bonne santé mentale. Cependant, contrairement aux pauvres folles de ma salle, enfermées le plus souvent contre leur gré, je suis ici de mon propre chef. Seuls le docteur Guillaume Morin, surintendant médical de l'asile Notre-Dame de la Pitié, et moi le savons. Pour les autres, je ne suis qu'une aliénée de plus.

Dans les faits, j'ai une mission à remplir. Je crois que je m'en tire bien. Tellement bien que je pourrais être actrice à l'Auditorium de Québec ou à la salle Jacques-Cartier. Je pourrais peut-être même tenir un rôle dans *Le Triomphe de la Croix* à la salle de la Garde Champlain. Une pièce à laquelle j'ai assisté il y a plusieurs mois. Un peu trop religieuse à mon goût. Quoique, malgré les bondieuseries, j'ai quand même passé un agréable moment. Toutefois, il ne s'agit pas ici d'une histoire inventée, mais bien d'une enquête tout ce qu'il y a de plus réel. Je vais essayer d'en relater la progression. J'ai réussi à prendre des notes depuis mon arrivée à Notre-Dame de la Pitié. Le défi sera de continuer, idéalement chaque jour. Ça ne sera pas facile. On manque beaucoup d'intimité dans un asile. Malgré cela, j'espère que j'arriverai à communiquer clairement mes observations et qu'elles seront utiles.

Tout a commencé quand mon amoureux, qui est aussi le surintendant médical de l'endroit, a eu vent qu'on abusait de son hôpital. Il veut soigner des malades, les guérir si possible, mais il ne veut pas aider des criminels à échapper à la justice. Je me souviens quand il m'a confié ses craintes pour la première fois.

— Il y a toutes sortes de malades, ici, ma chère Blanche. Des malades qui s'ignorent. Des malades qui se cachent. Peut-être pourrais-tu m'aider à les découvrir ?

J'étais très touchée par sa confiance. J'ai senti qu'il avait besoin de moi. Je pense que c'est à ce moment que j'ai compris qu'il était vraiment épris de ma petite personne. Parce qu'il s'abaissait à me demander de l'assister, alors qu'il est le directeur de cet immense hospice. J'ai eu un peu de mal à le croire, au début. Mais j'en ai rapidement conçu une grande fierté. Et même s'il fallait garder notre attachement secret, je n'ai pas hésité une seconde à endosser le rôle qu'il exigeait de moi. Non, je fais erreur. Il n'a rien exigé. J'ai deviné ce qui le troublait et j'ai décidé de mon propre gré de l'épauler. Il est bien trop timide pour s'imposer. Tout en délicatesse et en nuances, il aime entretenir un certain mystère. Je comprends. Ou plutôt, je comprenais. Parce qu'à la longue, sa satanée discrétion pourrait me causer d'énormes ennuis. Et je risque de perdre patience. Mais on n'en est pas encore là, heureusement.

Le docteur Morin m'a fait ces confidences le soir du bal de la Saint-Jean-Baptiste, le vingt-quatre juin mille neuf cent huit. Le temps était magnifique. Les sœurs qui avaient veillé à l'organisation de l'événement n'avaient pas lésiné sur l'effort. Des fanaux colorés avaient été accrochés dans les arbres. Ils répandaient une lumière tantôt rouge, tantôt jaune, tantôt bleue. C'était très joli. Les bâtiments et les gloriettes étaient éclairés par des lanternes à gaz. L'asile avait pris des airs de château. Un orchestre s'était installé sous une tente tout près du jardin de plantes médicinales et jouait des airs joyeux. Près de deux cents personnes participaient à cette fête : des employés de l'hôpital avec leur famille, des religieuses, des patients sages ainsi récompensés pour leur comportement exemplaire, quelques médecins comme le docteur Morin et même des gens des alentours, des habitants de Giffard, venus prendre un peu de bon temps. Malgré toutes les précautions des responsables de salle, il arrive que des patients que l'on croyait raisonnables perdent un peu la boule au cours de telles soirées. Cela donne parfois lieu à des scènes déplorables. Je me souviens d'une jeune fille ressemblant à une sirène rejetée par la mer. Ses longs cheveux étaient tout décoiffés. Elle avait l'air un peu perdue. Elle dansait toute seule, les yeux fermés, se serrant à bras-le-corps, jusqu'à ce qu'un gardien la prenne en pitié et la fasse valser. Je pense qu'il avait de bonnes intentions, sauf qu'elle n'a pas apprécié et s'est mise à se débattre. Une vraie crise de nerfs avec hurlements de truie qu'on égorge, coups de pied et taloches distribués sans discernement. Il a fallu la raccompagner à sa salle. Les bonnes gens du quartier venus en visiteurs ne savaient pas trop comment réagir. Quelques-uns ont secoué la tête d'un air condescendant; d'autres ont semblé effrayés, craignant probablement que d'autres internés ne suivent l'exemple de la sirène enragée.

Posté sous une lanterne, il y avait Léonard qui observait la scène et qui riait. Pour un œil non averti, Léonard aurait pu sembler s'amuser de la situation. Nenni. Il passe beaucoup de temps à rire sans raison. Des fois, il se regarde de longues heures dans un miroir. Les bons jours, ça le fait sourire. Les mauvais, ça le fait grimacer. Les jours totalement noirs, ça le rend hystérique. Il va jusqu'à s'arracher des bouts de peau sur les joues. C'est pour ça qu'il est plein de croûtes et de cicatrices. Il dit que des vers remontent du fond de son corps et qu'ils veulent sortir à l'air libre. C'est dégoûtant. Des fois, les sœurs sont obligées de lui enfiler des mitaines de cuir, sinon il s'écorcherait vif. Je tiens tout ça de Félix car, évidemment, je ne vais jamais du côté des salles des hommes.

Si je n'avais pas déjà d'amoureux, je pense que je pourrais m'amouracher de Félix. Mais je ne sais pas quel genre d'avenir nous aurions… Félix a beau être jeune et séduisant, il ne va pas bien du tout dans sa tête… Il est devenu fou après avoir vu soixante-seize de ses compagnons de travail mourir, le vingt-neuf août mille neuf cent sept, pendant la construction du pont de Québec. Je me souviens d'avoir lu la description de cet horrible accident dans *Le Soleil*. Félix fait partie des cinquante-quatre survivants. Il devrait se compter chanceux. Sauf qu'il a l'âme en miettes. Il vit avec les fantômes de ses amis tombés du pont et ça lui empoisonne la survie. Félix ne vient jamais au bal. Il y a trop de monde pour lui. Il préfère rester à l'intérieur, dans un coin, tranquille, loin des feux d'artifice qui le rendent malade de peur. Ça lui rappelle trop le bruit du pont lorsqu'il s'est effondré. Alors, on se contente de se parler quand on se croise au jardin, les jours où il n'y a pas de fête.

Contrairement à Félix, Léonard adore les soirées dansantes. À sa manière. Pour le bal, il s'était mis sur son trente-six. Il avait enfilé un beau veston et mis une rose à sa boutonnière, mais il avait gardé son pantalon de pyjama. J'ai été gênée pour lui. Presque autant que pour Germaine, une petite vieille vaniteuse qui change de robe dix fois par jour et qui se pavane comme si elle était Sarah Bernhardt. Elle s'arrange toujours pour avoir le premier choix dans les vêtements donnés à l'asile par des sociétés de bienfaisance, et elle se compose des tenues qu'elle pense à la dernière mode. Ce soir-là, elle avait coiffé un chapeau extravagant sur lequel elle avait piqué au moins trois bouquets de fleurs. Il n'arrêtait pas de glisser de sa tête et elle le réajustait sans cesse. J'en perdais patience à sa place.

À un moment, Émile, un jeune malade arrivé ici peu après moi, est devenu tout excité. Il pointait un doigt vers le ciel en criant qu'il venait d'apercevoir l'étoile des Rois mages. Il était sûr qu'elle était là pour lui porter un message de Notre-Seigneur Jésus-Christ ou de sa maman, la Vierge Marie. Il est tombé à genoux et a levé les bras vers le firmament. Des étoiles, il y en avait des milliers ce soir-là. Toutes identiques et aussi insignifiantes les unes que les autres, si vous voulez mon avis, mais je ne suis pas astronome, alors il avait peut-être raison. Reste qu'ici, un nombre surprenant d'individus prétendent être en lien direct avec les puissances divines. Et ce grand nombre leur enlève pas mal de crédibilité. On compte quatre Sainte Vierge juste dans ma salle et j'ai perdu le compte de tous les saints Jean-Baptiste et des Jésus de Nazareth. On m'a raconté qu'il y a même parmi nous une folle dont les mains saignent chaque Vendredi saint. J'aimerais voir ça. La religion inspire bien des délires. Je me sens un peu impie d'écrire cela. N'empêche, c'est la réalité.

Les religieuses sont sûrement pleines de bonne volonté en organisant ces soirées, comme le gardien qui a invité la sirène à danser, mais, dans le fond, je ne sais pas trop quoi en penser. Les bals sont bien ordonnés, on y entend des rires, mais on dirait qu'ils sonnent comme des violons désaccordés. Malgré la musique, il y a de la dissonance dans l'air. Tout est un peu décalé... Souvent, ces fêtes me rendent triste, car on y fait semblant que tout va bien, alors que ça ne va pas du tout. Les patients font de leur mieux, mais rien qu'à leur tenue, on sent que quelque chose cloche. Leurs vêtements sont agencés de façon anarchique, comme leurs idées. On essaie de paraître normal. On essaie seulement. Et ça se voit.

À un moment, Bénédicte est venue me parler. Voilà une étrange fille. Je ne saisis pas ce qu'elle fait à l'asile. Elle semble absolument normale. Bien sûr, elle n'a pas de très bonnes manières: elle fume la cigarette, elle dit des gros mots, elle rit avec les hommes. Cela irrite particulièrement sœur Marcelle du Saint-Sépulcre, une chipie qui voit le mal partout. Sœur Marcelle dit que Bénédicte est une «débauchée scandaleuse». Il est vrai que Bénédicte est séduisante, même avec les vêtements stricts dont on nous fait l'aumône. Elle sait détacher juste ce qu'il faut de boutons. Être belle et le savoir est-il un crime? Oui, si on en croit sœur Marcelle. Dans le fond, cette corneille en robe noire est probablement jalouse. La modernité de Bénédicte lui reste coincée dans la gorge.

Des fois, j'aimerais avoir l'audace de Bénédicte, mais je ne suis qu'une grande timide. Pas de boutons détachés avec moi.

— Tu t'amuses? a-t-elle fait en s'arrêtant à mes côtés.

— Oui, oui… La musique est très jolie.

— Tu veux une cigarette?

J'ai fait non de la tête.

— Tu ne fumes pas?

— Non.

— Mais tu as déjà fumé?

— Non.

— Ah… J'aurais cru… Tu as une voix de fumeuse.

— Une voix de fumeuse?

— Oui, un peu rauque, un peu cassée.

— Oh… Je ne savais pas.

J'ai dû paraître peinée, parce que Bénédicte s'est empressée de me consoler.

— T'en fais pas. C'est une belle voix. Comme les hommes les aiment, si tu vois ce que je veux dire…

Et elle m'a fait un clin d'œil complice. J'ai senti le rouge me monter aux joues.

— Je ne sais pas de quoi tu parles…

— Allons, tu as bien un petit ami, jolie comme tu es? Un peu maigrichonne, mais jolie, répéta-t-elle.

Maigrichonne, d'accord. Mais jolie? Moi? C'était la première nouvelle que j'en avais. Je me regarde rarement dans un miroir.

De nouveau, Bénédicte a semblé lire en moi comme dans un livre ouvert.

— Ne viens pas essayer de me faire des accroires! Les hommes sont tous pâmés devant toi! Une belle blonde, ça les rend fous d'amour. Et parlant d'amour, voilà justement un cavalier qui s'en vient te chercher... Chanceuse... J'en croquerais bien une bouchée s'il voulait de moi, celui-là... Bon... Je te le laisse. Je ne voudrais pas m'interposer. Bonne soirée, ma chérie.

Je n'ai pas eu le temps de répondre qu'elle s'était volatilisée. Je me suis tournée pour découvrir le fameux cavalier. Je m'attendais à Émile ou à Léonard. Peut-être même à Félix sorti de sa retraite pour un court moment. J'ai eu la surprise de ma vie quand j'ai reconnu le docteur Guillaume Morin, le surintendant médical en personne.

Quand il m'a invitée à danser, j'ai d'abord été étonnée. Ensuite, quand il a sollicité mon aide, j'ai été sidérée, rien de moins. Et quand j'ai lu dans ses yeux tout l'amour qu'il me portait, j'en ai été remuée jusque dans mes entrailles. Il est de ces silences qui parlent plus que toutes les déclarations enflammées. Le silence qui nous a enveloppés et qui nous a momentanément isolés des autres était de ceux-là. J'avais le cœur qui chavirait à chaque pas de danse. Guillaume m'aurait demandé la lune et j'aurais sauté pour la décrocher. Mais il m'a simplement demandé de l'aider à débusquer les manipulateurs, les filous qui se terrent à l'asile en simulant des maladies des nerfs pour échapper aux conséquences de leurs crimes. J'ai immédiatement pensé à Bénédicte. Elle a l'air trop normal pour être honnête. Ce serait la première suspecte sur ma liste. Presque aussitôt, je m'en suis voulu. Je n'étais pas meilleure que sœur Marcelle. Je jugeais trop vite. Il faudrait que je sois prudente et que je ne saute pas aux conclusions pour m'acquitter honorablement de ma mission.

Alors me voilà à l'hôpital Notre-Dame de la Pitié. On raconte que je suis ici pour soigner une grave dépression. Que j'ai fait une tentative de suicide. Il y en a qui disent que j'ai été abandonnée par mon amoureux. Un homme marié qui m'aurait embobinée avant de me laisser tomber comme une vieille chaussette. L'histoire est plausible. Je les laisse penser ce qu'ils veulent. Les meilleurs mensonges sont les plus simples. Je me contente de jouer mon rôle et d'ouvrir l'œil. Je ne pense pas qu'Émile, Félix ou Léonard doivent faire partie des suspects. Germaine non plus. Mais on ne sait jamais.

— Maude ? Maude ! entendit tout à coup la lectrice, complètement absorbée par les notes manuscrites.

Elle leva la tête, les yeux agrandis de surprise à la vue de la salle d'archives où elle était installée. Où étaient passés les fanaux colorés et les lanternes ? Léonard avec son pantalon de pyjama ? Bénédicte, l'effrontée ? Et Germaine, la vieille coquette au chapeau à fleurs ? Guillaume et Blanche, les beaux amoureux ?

— Hou là là ! Attention à l'atterrissage ! se moqua gentiment la technicienne en documentation.

Reprenant pied dans le réel, Maude esquissa un sourire gêné.

— On ferme, annonça Julie.

— Il est déjà dix-huit heures ? s'exclama l'étudiante.

Julie indiqua la grosse horloge fixée au mur.

— Zut…

— Tu as mis la main sur ce que tu cherchais ? s'enquit l'archiviste.

— Non. Juste sur de vieux papiers sans grande importance, mentit la doctorante sans comprendre pourquoi elle éprouvait le besoin de dissimuler sa trouvaille.

— Ah bon… Désolée. À voir ton air, j'aurais juré le contraire. Alors je te laisse ramasser tes affaires. Prends ton temps. J'ai encore une dizaine de dossiers à ranger. Je récupérerai le carton tout à l'heure.

— Merci, Julie. Ne le mets pas trop loin, je reviendrai demain.

— Toi, tu étais vraiment ailleurs, souligna la punkette. Et tu n'es pas entièrement de retour dans notre dimension! Je te signale qu'on est vendredi. Demain sera donc samedi. Les archives seront fermées, sauf pour les urgences. Tu dois prendre congé jusqu'à lundi!

Maude sentit son cœur descendre dans ses talons. Deux jours entiers sans avoir accès au manuscrit de Blanche Taylor? Une véritable torture.

Sans même percevoir le désarroi de son interlocutrice, Julie prit la direction de la salle des dossiers. En se retournant, elle déclara:

— Laisse tout ça sur la table, fit-elle en désignant les chemises empilées n'importe comment. Je m'en occuperai tantôt.

Quelques minutes plus tard, Maude passa de l'autre côté à son tour et salua la technicienne. Sur le chemin du retour, dans le bus, Maude enlaça son sac à dos déposé sur ses cuisses, telle une femme enceinte qui tient son ventre. Elle avait les joues rouges et le regard brillant.

Maude Vincent habitait un minuscule appartement rue Montmartre, à quelques pas de l'Hôtel-Dieu du Sacré-Cœur. La dame qui l'avait occupé avant elle, pendant presque soixante ans, était une femme frêle d'à peine un mètre cinquante qui ne devait pas peser plus de quarante kilos. Maude aurait juré que le logement s'était peu à peu ratatiné autour de son occupante pour l'envelopper dans un cocon rassurant. Un cocon qui semblait parfois un peu étroit pour l'étudiante d'un mètre soixante-quinze. Mais l'endroit avait d'immenses fenêtres, des murs de briques dans la cuisine et le salon et une antique baignoire sur pattes dans la salle de bain. Le charme suranné de ce lieu compensait sa petitesse.

Avec sa mère, Maude avait couvert d'étagères et de livres un mur entier du séjour. Au sol, il y avait un faux tapis persan, épais, chatoyant, aux couleurs profondes. La doctorante adorait y frotter ses pieds nus alors qu'elle lisait, enfoncée dans un fauteuil aux ressorts cassés, mais étrangement encore plus moelleux que dans ses belles années. Elle avait placé sa table de travail devant l'une des fenêtres à vantaux. Le soir, elle apercevait les lumières de l'hôpital. Parfois, le cœur serré, elle pensait aux enfants hospitalisés dans les unités de pédopsychiatrie, à la tête pleine de soucis trop gros pour eux, loin de leurs parents et de leurs repères habituels. Tant de bambins avaient souffert dans cet immeuble qui, autrefois, avait été un orphelinat. Depuis qu'elle savait que son ancêtre, Adrien Vincent, avait grandi dans un tel lieu, Maude se sentait une parenté avec les longs murs de pierres grises.

Une fois rentrée chez elle, la jeune femme se laissa tomber dans sa bergère. Platon, son vieux chat de douze ans, sauta sur ses genoux et la piétina délicatement avant de se lover contre elle en ronronnant.

— M'aimerais-tu autant si tu savais que je ne suis qu'une sale voleuse ? demanda la jeune femme à son matou, tout en le caressant derrière les oreilles.

Pour toute réponse, Platon ronronna encore plus fort.

— Regarde bien, fit Maude en ouvrant son sac à dos. Une future historienne qui pique des documents d'archives. Pas très reluisant, n'est-ce pas ?

Elle déposa un tas de papier sur le dos du chat qui bondit sur le sol et s'éloigna, la queue et le museau en l'air avec toutes les apparences d'une majesté offensée.

— Je te comprends, minauda la doctorante. Je me fais honte moi-même. Mais ne va pas croire que je vais conserver ce manuscrit. Il ne s'agit que d'un emprunt très temporaire.

Cela dit, Maude se déchaussa, plia une jambe sous elle et fit prendre à l'autre la direction du tapis aux poils si doux. Ainsi, la jeune femme reprit sans plus attendre sa lecture là où Julie Sauvageau l'avait brusquement interrompue une heure plus tôt.

5

Ici, l'horaire est tellement prévisible que c'en est infiniment rassurant. Je suis heureuse de ne pas avoir à me poser de questions sur mon emploi du temps. Si je n'avais pas été fille de bourgeois, j'aurais probablement été une excellente domestique. J'aurais suivi les ordres, exactement comme je me conforme aux consignes de l'asile. En ce moment et durant tout l'été, la cloche du réveil sonne à cinq heures. On me dit qu'en hiver, elle sonne une heure plus tard. Son tintement est à peine terminé qu'une officière de salle passe dans le dortoir pour s'assurer que nous quittons toutes nos lits. Aucune grasse matinée ne sera tolérée! Nous sommes une trentaine dans une grande pièce. Ouvrir les fenêtres n'est pas du luxe. Il y a parfois de ces odeurs qui lèvent le cœur. Surtout quand les provisions que Philomène subtilise aux cuisines se mettent à pourrir sous son lit. Un phénomène, cette Philomène! Personne ne la prive de nourriture, pourtant elle a toujours peur d'en manquer. Alors elle en accumule en cachette. Sauf qu'elle oublie... Ça devient embêtant à la longue.

Une fois les relents de fromage moisi évacués, on se débarbouille au lavabo, puis on fait les lits. À six heures, on déjeune. Ensuite, il faut laver la vaisselle et la ranger dans les armoires. Il y a une sœur qui compte les fourchettes et les couteaux et qui s'assure qu'il n'en manque pas. On ne voudrait pas qu'une aliénée se tranche les veines ou en attaque une autre avec un ustensile volé. Reste que rien de tout cela n'empêche les tentatives de suicide ni les assauts. Mille autres moyens existent quand on a l'âme pleine de désespoir.

Trois fois par semaine, nous nous rendons à la chapelle où le chapelain dit la messe. Les femmes d'un côté, les hommes de l'autre, nous assistons à la cérémonie. Rien ne se passe jamais sans rebondissements dans un asile. J'ai déjà parlé des bals et des excentricités qui y ont cours. La messe est elle aussi un de ces moments où l'on peut observer d'étranges comportements. Hier encore, un fou s'est jeté par terre pendant la célébration, face contre sol, les bras en croix, implorant Dieu de lui pardonner ses fautes. Il refusait de se relever. Il a fallu quatre gardiens l'agrippant par chacun de ses membres pour le sortir et le ramener à sa salle. D'autres fois, c'est Léontine qui se met à répondre aux anges ou Agnès qui pique une crise d'hystérie quand le prêtre dépose l'hostie sur sa langue. Un vrai spectacle… Le pire, c'est sans doute quand le père Joseph a une de ses attaques. C'est un vrai curé, le père Joseph, mais il ne peut plus officier. Aucune paroisse ne veut de lui. Il souffre d'une terrible maladie, le pauvre… Il est affligé de tics comme ça ne devrait pas être permis: il ne se contente pas de cligner des yeux à tout bout de champ ou de renifler bruyamment. On s'y habituerait. Non, le malheureux se met souvent à japper, à crier et à blasphémer. Pour un curé, c'est fièrement gênant. On dirait que c'est encore pire quand il se trouve à la chapelle. Après quelques minutes de service, ça se met à le démanger. Il devient cramoisi à force de se retenir. Il fait des grimaces pitoyables. Il se tortille sur place. Et puis, tout à coup, ça explose. Il commence à cracher des insultes dignes d'un marin : « Sacrabouille de sacrament de saint ciboire de batêche ! » Quand les digues lâchent, c'est pas beau à entendre… Les sœurs se signent avec des mines horrifiées. Celle qui est responsable de sa salle le prend par le bras et le fait sortir. Alors qu'ils s'éloignent, on entend le père Joseph continuer à postillonner des gros mots. Puis, c'est un autre fou ou une autre folle qui prend le relais. On ne s'ennuie jamais pendant la messe.

Vers huit heures, nous sommes de retour dans nos salles. Les chefs d'atelier viennent chercher ceux qui travaillent. Le personnel de l'asile croit dur comme fer aux vertus de l'activité. D'après ce que j'ai compris, une bonne corvée permet de canaliser l'excès d'énergie des excités, de stimuler l'indolent et de distraire les autres de leurs pensées morbides. J'ai peut-être l'air savante comme ça, mais je ne fais que répéter ce que professe mon cher Guillaume, un fervent disciple de Philippe Pinel, un célèbre aliéniste français. Ce monsieur Pinel affirme aussi que les fous ne sont jamais complètement fous et que leur trouble est d'origine émotionnelle. Il dit également qu'on peut les guérir avec des paroles encourageantes et un environnement sain, bien structuré. En ce sens, pour certains aliénés, le travail serait une planche de salut. Heureusement, à Notre-Dame de la Pitié, on ne force personne. Ceux qui ne veulent pas travailler n'y sont pas obligés. Et il y en a pas mal qui préfèrent s'asseoir dans un fauteuil, prendre un bain de soleil et radoter des sottises. On tolère ce genre de choses à l'asile. Plus qu'ailleurs, c'est certain.

Les hommes qui le veulent sont souvent employés au jardin ou à la réparation des bâtiments. Quant aux femmes, c'est comme partout ailleurs, on nous confine aux tâches domestiques : cuisine, ménage, couture, tissage. Des travaux n'exigeant pas beaucoup de réflexion, ce qui me permet de m'évader dans ma tête. Je pars dans mes pensées. Je me coupe du chaos autour de moi. Les heures filent sans que je m'en aperçoive. De temps à autre, sœur Clotilde du Sacré-Cœur m'emmène au jardin des plantes médicinales. Elle m'a appris que l'hiver venu, on cultivait les simples dans des serres chaudes, juste derrière l'hospice. Elle a ajouté que je serais la bienvenue pour l'aider là aussi, si je le désirais. Elle est gentille et je déteste la décevoir, alors je ne lui ai pas répondu. Parce que c'est évident que l'hiver venu, comme elle dit, ça fera belle lurette que je serai partie d'ici. Ma mission sera terminée. J'aurai repris ma vie normale. Mieux encore : je serai avec mon amoureux… Je le regrette quasiment. J'aurais sûrement aimé voir pousser des fleurs en pleine tempête de neige. Mais je pense que je préfère le jardin d'été, avec la vraie chaleur du soleil.

Pour une raison qui m'échappe, j'apprécie aussi la buanderie, alors que la plupart des patientes fuient cette corvée comme la peste. C'est vrai qu'il y fait très chaud et que l'ouvrage y est ardu. Sauf qu'il me plaît de brasser le contenu de grandes cuves de linge et de voir des draps souillés redevenir blancs comme neige. Sœur Clotilde me taquine gentiment à ce sujet. Elle dit que, parfois, elle me soupçonne d'avoir choisi mon prénom moi-même, parce que j'affectionne la blancheur, justement. Elle a un petit air étrange quand elle prononce de telles paroles. Un petit air mystérieux, comme si elle s'attendait à ce que je lui fasse une réponse fantastique. Pourtant, je n'ai rien de spécial à dire sur le sujet. Mes parents ont choisi mon prénom et eux seuls peuvent justifier leur décision.

Des fois, vers huit heures et demie, il y a la visite médicale. Je suis rarement dans la salle à cette heure. De toute façon, le médecin ne fait que passer et s'attarde surtout chez les hommes. Les femmes sont des patientes de seconde classe. C'est la vie! Et puis, comment espérer mieux? L'asile Notre-Dame de la Pitié héberge mille cinq cents malades pour sept médecins. Sans compter que de nouveaux patients apparaissent tous les jours. La population de ma salle ne cesse d'augmenter et, à ma connaissance, pratiquement personne n'a reçu son congé depuis mon arrivée. Si ça continue, il faudra convertir des placards en chambres à coucher...

Mais j'exagère un peu. Il y a des chanceux qui finissent par partir. La semaine dernière, Élizabeth nous a quittées pour de bon. Elle était drôle à voir. Elle avait si peur que le surintendant change d'avis qu'elle a déguerpi sans même réclamer ses affaires. Le jour de son admission ici, on lui avait confisqué ses vêtements, comme on le fait pour toutes les nouvelles venues. Elle aurait pu les récupérer avant de s'en aller. Que nenni! Elle est quasiment partie en courant. Pourtant, il y a juste deux semaines, je n'aurais pas parié ma chemise sur sa guérison. Elle faisait pitié, Élizabeth. Toujours gelée, même en plein cœur d'été, enveloppée dans trois ou quatre chandails de laine, le geste lent, piteuse, méfiante, persuadée d'être persécutée par le curé de sa paroisse, les cheveux secs, les sourcils dégarnis, le visage bouffi. Un désastre. Et puis soudain, mon bien-aimé l'aperçoit et a comme une illumination! Il lui injecte du mouton et la voilà qui ressuscite en trois jours, comme Notre-Seigneur Jésus-Christ. À croire que mon amoureux est le bon Dieu en personne. Je n'y comprenais rien. Au début, j'ai craint que la grosse Élizabeth se mette à friser et à bêler comme une brebis, mais les heures et les jours ont filé et elle a continué de prendre du mieux. Elle a même recommencé à parler, sans bêler, et ses cheveux sont restés bien raides, comme avant, mais sont devenus plus brillants. J'ai demandé à sœur Clotilde pourquoi on ne donnait pas d'injection de mouton à tous les patients! Elle m'a expliqué que ce traitement ne marchait que dans des cas bien précis de maladie de la thyroïde. Le docteur Morin avait administré à Élizabeth un extrait de thyroïde de mouton pour compenser son manque à elle. J'étais fièrement impressionnée par la science de mon bien-aimé. J'ai dû me mordre la langue pour ne pas me vanter de notre amour.

Des fois, il y a d'autres départs, mais des départs qui ne durent pas. J'ai vu des familles réussir à convaincre le surintendant qu'elles avaient absolument besoin de Philémonde ou de Clémentine ou de Juliette, le temps d'une corvée pressante. On fait valoir qu'elles ont l'air d'avoir pris du mieux et que c'est probablement le bon moment pour tenter une sortie. Les pauvrettes sont ramenées à la maison. Elles cousent le trousseau de l'aînée qui se marie, elles font les confitures et les conserves pour l'année ou encore le grand ménage, puis on les ramène à l'asile. «C'est bien dommage, monsieur le docteur, mais elle ne va pas mieux, finalement. On se reprendra l'année prochaine, ayez-en bien soin en attendant», s'excuse-t-on. J'ai entendu dire que ça arrive aussi chez les hommes. Chaque année, des patients retournent brièvement dans leur famille le temps de fendre le bois pour l'hiver puis de le corder. Et quand l'ouvrage est fini, ils retombent mystérieusement malades. Tout ça est bien commode... Que mon cher Guillaume se rende complice de tels abus me désole. Je lui en toucherai mot. Peut-être ignore-t-il qu'on le manipule. Il est tellement bon. Il ne voit pas la méchanceté chez les autres.

Mais je m'égare. J'en reviens à mon horaire quotidien. On verra quel défi ça peut représenter que de mener une enquête ici. À onze heures, on réintègre nos étages et à onze heures et demie, on dîne. Les aliments sont variés, mais je ne mange pas beaucoup. Du veau, du bœuf, du pain, des soupes. Les sœurs essaient de m'encourager à me nourrir. Elles me préparent des bouillons, des potages, des purées de fruits et de légumes. Malgré cela, j'ai souvent la gorge serrée. C'est probablement à cause de la misère que je devine dans le cœur de celles qui m'entourent. Je suis ici volontairement, mais pas elles. Je dois aussi avouer que les mauvaises manières de mes compagnes de salle me donnent souvent le goût de vomir. Ça ne m'aide pas à me sustenter et à me remplumer. Je suis trop maigre. Or, j'ai déjà été ronde, même que j'ai des vergetures sur le ventre et les cuisses, comme certaines femmes qui ont eu un bébé. Dans mon cas, rien à voir avec une grossesse. C'est seulement parce que j'ai littéralement fondu.

Et cette cacophonie incessante! Voilà autre chose qui me coupe l'appétit. Quelle plaie ! Les portes claquent. Les serrures grincent sous les clés. Victoria chante l'*Alléluia* du matin au soir, et du soir au matin. Séraphine crie et se fâche dès que quelqu'un passe près d'elle. Éléonore marmonne continuellement, même en mangeant, ce qui la porte à s'étouffer et à recracher sa nourriture. Angéline s'empiffre, affirmant qu'elle doit manger pour trois parce qu'elle a une maîtresse de musique et une religieuse cachées dans sa tête… Et que dire d'Eugénie ? Pauvre folle persuadée qu'on empoisonne sa nourriture avec du sang pourri. Quand on la force à manger, elle vomit. C'est répugnant. Vivement qu'on me retourne au jardin ou à la buanderie ! Je ne suis pas folle, mais des fois, j'ai peur de le devenir. Toute cette fureur et tout ce bruit finissent par me causer de terribles maux de tête. C'est comme si on essayait de me fracasser le crâne à la hache. Infernal. Ces soirs-là, on me gave de cachets amers et on m'attribue une chambrette pour deux au lieu du dortoir surpeuplé. Je n'aime pas beaucoup les rêves que me font faire ces médicaments, ni la mauvaise haleine qu'ils me donnent le lendemain, mais au moins je peux me reposer. J'espère que je découvrirai vite les faux malades et que je pourrai m'en aller d'ici.

À cinq heures et demie, retour du travail et souper. À sept heures, prière en commun à la chapelle. Nouveau spectacle à tout coup. Entre sept heures et demie et neuf heures, récréation du soir. C'est le moment où, mine de rien, je fais ma senteuse. Je me promène dans la salle. J'écoute les conversations. Je bavarde avec quelques malades. Bref, je mène mon enquête. J'essaie aussi de trouver un petit moment pour écrire mes notes sans trop attirer l'attention. Puis, neuf heures sonnent et on se couche. Une gardienne s'assure que personne ne manque à l'appel. Si je dois dormir au dortoir, je glisse un bâton sous mon oreiller. J'ai peur depuis que Fernande a attaqué Flora à coups de barre de fer, en pleine nuit. Elle l'accusait d'être un dragon envoyé sur Terre pour la tourmenter. Un dragon déguisé en femme, dont elle seule voyait la vraie nature, évidemment. Qu'est-ce qu'on n'entendra pas... Elle lui a quasiment défoncé la tête. La pauvre Flora en est devenue encore plus idiote. Déjà qu'elle n'aurait jamais pu inventer les boutons à quatre trous... Maintenant, elle fait franchement peine à voir. Elle bave et dodeline du chef toute la journée. Alors, pas de risque à prendre, je me protège.

Maude déposa délicatement sur ses genoux la liasse de feuilles variées. Quelle découverte fabuleuse elle avait faite au fond de ce carton oublié depuis tant d'années! Quel témoignage poignant de vérité! Il fallait quand même que cette Blanche Taylor soit immensément amoureuse et courageuse pour avoir accepté de se jeter ainsi dans la gueule du loup, au seul bénéfice du surintendant médical. L'étudiante avait déjà entendu parler de journalistes et de policiers infiltrant des milieux douteux. Mais une jeune femme se faisant passer pour folle dans un asile! C'était si téméraire! La mission de Blanche fascinait la doctorante en histoire. Que déjà, au siècle dernier, on ait pu soupçonner des personnes de feindre la maladie mentale pour échapper à la justice lui semblait surprenant. Toutefois, la pendaison était en vigueur à l'époque. Dans cè contexte, l'asile pouvait certainement paraître une excellente solution de rechange. Ainsi, quand on y réfléchissait deux secondes, il n'était pas du tout étonnant que quelques personnes un peu futées aient choisi de simuler la folie au grand dam d'un aliéniste plein de beaux idéaux.

Néanmoins, des questions agaçantes virevoltaient dans la tête de Maude. Tout d'abord, que s'était-il donc passé pour que ce document se retrouve perdu au milieu d'un tas de dossiers de patients souffrant de maladie mentale ? Pourquoi n'était-il pas dans les archives administratives de l'hôpital ? Blanche avait-elle fait des découvertes dérangeantes ? Dérangeantes au point de devoir être dissimulées ? Tablettées ? De quoi les autorités avaient-elles eu peur ? Avaient-elles décidé d'étouffer une affaire ? Si c'était le cas, qui donc avait malgré tout conservé et sauvé les notes de Blanche ? Parce qu'à bien y penser, quel meilleur endroit pour cacher un document compromettant que les archives d'un asile psychiatrique ! Plus de cent années s'étaient déjà écoulées depuis la rédaction de ces pages et, n'eût été de la curiosité, et de la bonne fortune, d'une étudiante en histoire, elles auraient continué de prendre la poussière pendant une éternité. Maude était absolument ravie. Elle avait entre les mains des renseignements potentiellement explosifs et la trame d'une magnifique histoire d'amour.

Parce qu'il fallait que Blanche l'aime à la folie, son fameux Guillaume Morin. Accepter de jouer le rôle d'une aliénée ! Risquer de se faire agresser par une Fernande chasseuse de dragon, devoir avaler des médicaments pour donner le change, renoncer à sa liberté ! D'accord, tout ce carnaval n'était que temporaire. Sa mission accomplie, Blanche retrouverait sa vie normale. Mais quand même, quel renoncement… Ce n'était pas raisonnable… Soudain, un vilain doute s'insinua dans l'esprit de Maude. Une telle abnégation n'était-elle pas suspecte ? Blanche s'inventait-elle des chimères pour supporter l'insupportable ? Son journal était-il celui d'une cinglée, rangé avec les dossiers d'autres cinglées ? Et puis, quel genre de personne était ce surintendant pour accepter un tel sacrifice de la part de sa bien-aimée ? *Il faut que je sois prudente !* se morigéna Maude. *Ne rien tenir pour acquis… Mais quand même ! Quelle chance j'ai eue de tomber là-dessus !*

Le sourire aux lèvres, elle se remit à lire.

6

J'ai été placée dans la salle Sainte-Madeleine avec trente autres folles. Des vraies. À moins que l'une d'elles ne dissimule un sombre secret. Je suis ici pour le découvrir.

En tout premier lieu, il y a Bénédicte dont je n'arrive toujours pas à percer le mystère. Chose certaine, elle ne se comporte pas comme quelqu'un qui veut se cacher à l'asile. Au contraire, elle passe son temps à essayer de se sauver. L'autre jour, elle a volé les clés de l'officière de salle et a disparu pendant une semaine. Des policiers l'ont ramenée, débraillée, puante, échevelée, une haleine d'ivrognesse. Elle en a été quitte pour un bon savon. Au propre et au figuré. Puis elle est venue me voir. Elle m'a suppliée d'écrire à sa place une fausse lettre d'avocat au surintendant et de réclamer sa libération immédiate de l'asile.

— Tu la concluras par un « faute de quoi de terribles représailles vous seront infligées » et tu la signeras « Maître de la Tourelle ».

Je lui ai d'abord demandé pourquoi elle ne la rédigeait pas elle-même, sa fausse mise en demeure.

— Ça doit faire dix lettres que je lui envoie, à ce fichu docteur Morin, toutes signées de ma blanche main. Il va me repérer sur-le-champ. Alors que la tienne d'écriture, il ne la reconnaîtra pas!

J'ai refusé, évidemment. Je ne commencerai pas à trahir mon amoureux. Puis, au cas où elle trouverait quelqu'un pour transcrire sa lettre, j'ai suggéré à Bénédicte d'enlever le bout sur les « terribles représailles ».

— Ça ne fait pas très professionnel.

— Tu crois?

— J'en suis sûre.

— Tu tiens ça d'où?

— Mon père était avocat.

— Ouh… Mademoiselle est de la haute! a-t-elle dit, ironique.

Je n'ai pas élaboré.

— Qu'est-ce que tu fais ici? s'est-elle informée. Tu as l'air normale.

J'ai décidé de couper au plus court.

— J'ai fait une dépression. Mais je vais mieux, maintenant. Je partirai bientôt.

Bénédicte m'a coulé un regard envieux.

J'aurais pu en profiter pour lui retourner la question et avancer dans mon enquête, sauf que Séraphine a choisi ce moment pour piquer une crise. Fernande venait de lui arracher le bandeau avec lequel elle se protège des ondes magnétiques néfastes. Elles se sont mises à courir autour de la salle et à renverser des meubles. Fernande agitait le morceau de tissu dans les airs comme un trophée de guerre. Séraphine hurlait et essayait de l'attraper. Les autres malades ont commencé à gueuler et à s'agiter. Branle-bas de combat. Sœur Clotilde et sœur Marcelle ne savaient plus où donner de la tête. Des officières de la salle voisine sont arrivées en renfort. Une fois le calme revenu, le moment des confidences était passé. Je me reprendrai.

L'asile est constitué de vingt-quatre bâti-ments. Douze pour les hommes à l'ouest, autant pour les femmes, à l'est. Et dans chaque bâtiment, il y a deux salles d'environ trente malades. Je ne connais évidemment que la salle Sainte-Madeleine, mais pour ce qu'on m'en dit, les autres salles lui ressemblent comme deux gouttes d'eau. Si on retient sa respiration et qu'on se bouche les oreilles, si on ne regarde pas du côté des fenêtres grillagées et qu'on passe sur les agissements étranges de certaines pensionnaires, on pourrait presque oublier qu'on se trouve dans un asile. L'endroit est joliment meublé et agréablement décoré. Il y a même des fougères en pots qui s'épanouissent dans l'abondante lumière naturelle. Le sol est régulièrement lavé et balayé, les tapis battus, les meubles époussetés. De belles colonnettes de soutien découpent l'espace. Elles sont très inspirantes, sauf quand une patiente décide de se cogner la tête dessus jusqu'au sang. Mais en général, l'ensemble a fière allure. On a aussi des berçantes. Très populaires. On a avantage à ne pas prendre n'importe laquelle. On jurerait que la vieille Germaine a acheté la sienne avec son âme. Naïvement, je me suis assise dessus une fois. On aurait dit que je venais de séparer une ourse de son petit. Elle s'est jetée sur moi et m'a rouée de coups. J'ai eu un œil au beurre noir pendant une semaine. L'asile, ça fait peur des fois.

Nous disposons également de cabinets d'aisance et de baignoires, comme dans les riches maisons bourgeoises. Je ne suis donc pas trop dépaysée. Cependant, au risque de sembler capricieuse, j'ai certaines doléances à ce sujet. En effet, j'ai déjà entendu la responsable de la salle ordonner que l'eau d'un bain ne serve pas à plus de quatre patientes de suite. Or, certaines gardiennes sont paresseuses et j'en ai vu qui obligeaient dix femmes à se laver dans la même eau. Répugnant. Lorsque mon enquête principale sera complétée, je porterai ce point à l'attention des autorités.

Je parlerai aussi de sœur Marcelle du Saint-Sépulcre. Elle est méchante. Elle n'est pas comme la plupart des autres sœurs, indulgentes et bienveillantes, qui voient les malades comme des âmes en peine. Non, sœur Marcelle est le diable incarné. « Un sépulcre blanchi », dirait sans doute Notre-Seigneur Jésus-Christ s'il avait la malchance de la connaître. Un matin de la semaine dernière, elle m'a poussée du lit parce qu'elle trouvait que je ne me levais pas assez vite. Normal, avec la nuit que Léontine venait de nous faire passer : cette peste mystique avait encore décidé de nous réveiller passé minuit pour qu'on se confesse de nos péchés. Il y a huit gardiens de nuit affectés à la surveillance de l'asile. Huit gardiens pour mille cinq cents malades, dont plusieurs s'agitent surtout une fois la noirceur tombée. Et parmi ces gardiens, certains profitent des coins sombres pour roupiller. Je mentionnerai ça aussi à Guillaume, le moment venu. Alors, avant que l'un des surveillants s'aperçoive du grabuge causé par Léontine, il a bien fallu attendre une heure. Et avant que le problème soit réglé, quatre heures sonnaient à l'horloge. Puisqu'on se lève à cinq heures, il ne nous restait qu'une heure de repos. Il y avait de quoi être fatiguées. Mais ça, sœur Marcelle du Saint-Sépulcre ne s'en soucie pas.

« Allez ! Debout, fainéante ! » Et hop ! Une taloche d'encouragement pour sortir du lit. Un vrai crapaud ! Je comprends qu'elle soit devenue religieuse. Quel homme sensé aurait voulu épouser une mégère pareille ? Une autre fois, cette vilaine corneille m'a mise à genoux de force pour la prière. Je ne me souviens pas pour quelle raison je voulais rester debout. Mais j'en avais sûrement une bonne. C'est tout simple, sœur Marcelle ne m'aime pas. Quand je pleure, elle me dit de me taire et si je n'arrête pas, elle menace d'en avertir le médecin de garde. J'ai peur des médecins. Je n'ai confiance qu'en mon docteur Morin. Il ne me ferait pas de mal, lui. Mais les autres ne savent pas que je suis ici de mon plein gré. Ils me croient folle pour de vrai et lorsque sœur Marcelle du Saint-Sépulcre se plaint de moi, ils me prescrivent des médicaments qui m'embrouillent fièrement la tête. Et quand j'ai l'esprit embrumé, je n'avance pas dans mon enquête.

Des fois, on me donne tellement de cachets que j'oublie tout. J'oublie même depuis quand je suis internée. Le temps s'étire et j'ai l'impression d'être née ici. Le reste ressemble alors à un rêve. Avant l'asile, ça devient le brouillard, les limbes dont parlent les religieuses et le chapelain. J'ai peur des limbes. On dit que c'est là où vont les âmes de ceux qui meurent sans être baptisés. C'est pour ça que c'est si grave de tuer un bébé naissant. On l'envoie dans les limbes pour l'éternité. Il ne pourra jamais être sauvé. C'est un terrible péché. Je comprends pourquoi on pend les mères qui font ça à leur petit. Je me demande s'il y a des folles de ce genre ici. Ou s'il y a des méchantes qui ont tué leur bébé et qui font semblant d'être folles pour éviter l'exécution. Ce serait vraiment affreux. En attendant de les débusquer, je dois garder l'esprit clair. C'est pourquoi, quand on me force à prendre des cachets, j'essaie de les dissimuler entre mes dents et ma joue jusqu'à ce qu'on ne me regarde plus et qu'ils puissent finir leur route dans un lavabo ou une poubelle. Mais ils fondent vite et les sœurs me surveillent. C'est difficile de ne pas les avaler.

Hier, j'ai piqué une colère monstre à cause de sœur Marcelle. Elle m'avait surprise à cracher mes médicaments et m'a giflée. J'ai vu rouge. Je l'ai frappée à mon tour. Mauvaise idée. La cavalerie a déboulé à toute vitesse dans la salle et s'est jetée sur moi. En plein jour, la surveillance est d'une efficacité redoutable. Rien à voir avec le relâchement qui a cours la nuit. J'ai failli lâcher le morceau. Leur révéler ma mission et le fait que je suis sous la protection du surintendant. Ce n'est pas rien, quand même. Heureusement, malgré la tentation, j'ai réussi à garder le silence. On m'a déclarée gravement agitée alors que je ne faisais que me débattre pour échapper aux gardiens. Je le jure, il y a de quoi devenir fou dans cet endroit qui essaie de se faire passer pour un hôpital. Tous les gestes maladroits que vous posez sont retenus contre vous. Et quand ça va bien, on dit simplement que vous êtes «calme» aujourd'hui. Les bonnes journées, aussi nombreuses soient-elles, sont vite oubliées et n'impressionnent pas le cerveau mollasson des gardiens ou des médecins... Sans parler de tout ce qu'ils interprètent comme ils le veulent. Vous vous taisez? Vous êtes mélancolique. Vous riez? Vous voilà atteinte de folie circulaire. Vous protestez contre votre enfermement? C'est que vous n'avez pas conscience d'avoir besoin d'aide. Vous êtes fâchée contre ceux qui vous ont injustement amenée à l'asile? C'est la preuve que vous souffrez d'une grave paranoïa... Et voilà comment on m'a qualifiée d'«agressive» parce que j'ai refusé d'accepter gentiment la gifle de sœur Marcelle. J'imagine que j'aurais dû tendre l'autre joue... Quoique... cela aurait peut-être fait de moi une masochiste... Et le règlement prévoit probablement une punition au masochisme… Quand je dis que tout est sujet à interprétation, ici… J'ai dû subir le supplice du bain-douche. Une autre affaire dont je me plaindrai à mon amoureux, le moment venu…

On m'a mise de force dans une grande cuve en bois et on a fait couler de l'eau froide sur mon corps. Pendant quinze minutes, ai-je appris par la suite. Moi, j'avais perdu la notion du temps. J'étais glacée jusque dans mes os. Et terrifiée. J'ignore pourquoi le froid me fait un tel effet. Il paraît que je n'ai pas arrêté de hurler. C'est Bénédicte qui me l'a raconté cet après-midi. Personnellement, je ne me rappelle plus. Bénédicte dit que je criais et que je me lamentais tellement que c'en était pitié. Elle était dans la salle et moi dans le corridor réservé aux traitements. Malgré la distance, elle m'entendait distinctement. Bénédicte connaît bien ces fameux bains-douches. C'est une rebelle, je pense l'avoir déjà écrit. On tente régulièrement de la mater en l'aspergeant d'eau glacée. «C'est pour refroidir ses ardeurs», affirme la méchante sœur Marcelle. Ça ne fonctionne pas avec elle. Ni avec moi. Alors qu'on m'arrosait, j'ai semble-t-il supplié mes tortionnaires de me laisser sortir. Je disais que j'allais mourir de froid, que c'était une mort affreuse. Quand ils ont vu que ça ne menait à rien, que je devenais de plus en plus agitée au lieu de me calmer, les gardiennes ont fini par m'extirper du bain glacé. J'ai essayé de les mordre. Ça, je m'en souviens. Elles ont été furieuses et m'ont amenée en cellule d'isolement.

À tout malheur quelque chose est bon. Parce que c'est à ce moment que j'ai rencontré Emma. Emma Tailleur. Elle est devenue mon amie, encore plus que Bénédicte.

La mâchoire de Maude manqua de se décrocher. Elle relut la dernière phrase tellement de fois qu'à la fin, sa vue s'embrouilla. Blanche Taylor avait rencontré Emma Tailleur ! Parmi toutes les patientes gardées à l'asile ! L'affaire semblait surréaliste. L'étudiante en histoire sentait pratiquement les engrenages de son esprit s'emballer et tourner à plein régime. Lui jouait-on un tour ? Était-elle victime d'un canular ? Quelqu'un avait-il caché un faux journal intime dans un carton ? Pour rire ? Maude secoua la tête. *Ça y est ! Je débloque complètement ! C'est une chance que je ne sois pas dans les souliers de cette pauvre Blanche, parce que c'est moi qu'on aurait envoyée en cellule !*

Elle passa l'index sur les feuilles couvertes d'une calligraphie qui venait manifestement d'une autre époque. Qui écrivait encore aussi joliment de nos jours ? Et ce papier ? Qui se serait donné la peine d'utiliser autant de feuillets différents ? De faire jaunir le tout ? De leur donner ce parfum inimitable que l'on respire seulement dans les livres anciens aux pages parcheminées ? Allons donc. *C'est de la paranoïa*, se dit Maude. Personne n'avait orchestré sa découverte. Blanche Taylor portait tout simplement un patronyme commençant par *Ta*, d'où la présence de ses notes dans le carton où Maude avait espéré trouver le dossier d'Emma. Le hasard avait fait le reste et le journal de Blanche avait atterri dans une chemise au nom d'Emma alors que les deux femmes s'étaient croisées dans la vraie vie. L'incendie survenu dans les années mille neuf cent quarante n'était peut-être pas étranger à ce méli-mélo. Il n'y avait pas de complot là-dessous.

Un mot flotta devant les yeux de Maude. Un drôle de mot qu'elle avait lu récemment dans un article de magazine scientifique : *sérendipité*, le don de faire des trouvailles. Paraîtrait-il qu'un nombre effarant de découvertes scientifiques sont en réalité le produit de la *sérendipité*. Comme la pénicilline. Comme la preuve de l'existence du Big

Bang. Comme la conductivité des matières plastiques[5]. Sans doute pour juguler un peu son excitation, Maude s'amusa à imaginer l'adjectif découlant de ce mot étrange : *sérendipide* ? Était-elle *sérendipide* ? Elle éclata de rire. «Sérendipide et légèrement stupide ! » fit-elle en s'esclaffant de plus belle. Dans la dernière demi-heure, Platon le chat avait décidé de revenir auprès d'elle, histoire de vérifier si sa maîtresse avait récupéré ses bonnes manières. La rigolade solitaire de celle avec qui il acceptait de partager son logis le déconcerta. Rien à comprendre de cette humaine qui parlait toute seule, se servait de lui comme appuie-livres et se payait des fous rires subits. Le matou fila donc se cacher sous le lit. Maude regarda l'heure. Minuit. Elle n'avait rien avalé depuis le thé vert partagé en matinée avec Julie Sauvageau. Elle mourait de faim.

Après inspection, le frigo s'avéra à peu près vide sauf pour un demi-litre de lait, quelques pommes ratatinées, un pot de mayonnaise de couleur douteuse et un sachet de pesto. Rien de bien inspirant. La jeune

5. Voir Marie-Amélie Carpio. «Le hasard, une nécessité ? », *National Geographic Sciences*, Hors série n° 1, octobre-novembre 2011, p. 92-95.

femme croisa les doigts et porta son attention vers le congélateur de l'appareil. La chance était de son bord. Maude saisit un des petits plats congelés que sa mère l'obligeait à accepter après chaque visite à la maison. L'étiquette autocollante sur laquelle sa maman avait identifié le repas choisi s'était détachée. L'étudiante sourit en songeant que la surprise n'en serait que meilleure. Elle déposa le contenant au four à micro-ondes et retourna s'asseoir. Pendant que son souper tardif réchauffait, Maude reprit sa lecture. Le bip indiquant que la décongélation était terminée la fit sursauter. Elle s'empara du gratin de pâtes aux saucisses italiennes et aux épinards, se jeta derechef dans son fauteuil et reprit sa lecture tout en enfournant de grosses bouchées. Elle était si absorbée par le manuscrit de Blanche qu'elle ne goûta presque pas le mets qui était pourtant l'un de ses préférés.

Jusque-là, de belles feuilles blanches avaient servi de support au récit. Il se poursuivait maintenant sur du papier ligné qui semblait avoir été arraché d'un cahier d'écolier. Maude n'était pas certaine que l'ensemble soit en ordre chronologique. Tant pis. Une fois sa première lecture terminée, si nécessaire, elle réorganiserait le tout. Pour le moment, elle avait trop hâte de lire la suite.

Contrairement à Bénédicte, Emma est une grande timide. Elle n'est pas facile à apprivoiser. Dans la salle, elle longe les murs. À croire qu'elle veut se fondre dans le décor. C'est à un point tel que j'aurais pu continuer longtemps d'ignorer son existence si le hasard ne nous avait pas placées dans des cellules de réclusion voisines. Depuis, j'ai appris qu'Emma passe plus de temps dans cette chambre capitonnée que nulle part ailleurs dans l'asile. Je dois donc m'organiser pour être placée en isolement si je veux discuter avec elle. Les premières fois, nous avons causé à travers le mur. Enfin, pas vraiment à travers le mur, même si son filet de voix semblait avoir franchi un pied de briques. Bien que son ton soit plus grave que celui d'une femme normale, j'ai dû tendre l'oreille, car on aurait dit que ses paroles provenaient d'outre-tombe et étaient assourdies par leur passage dans une matière solide. En réalité, les chambres d'isolement sont alignées le long d'un corridor, en retrait de la salle principale et du dortoir. Elles contiennent un lit et une chaise d'aisance. Les deux sont vissés au sol pour empêcher qu'une forcenée ne les lance dans un accès de fureur. Le mur qui donne sur le couloir est, en vérité, un simple grillage. C'est par là que nos voix circulent. Pour converser avec Emma, je me suis souvent appuyée contre la paroi séparant nos cellules voisines. Elle faisait de même de son côté. Et nous parlions tout bas. Quelqu'un nous observant à travers une fenêtre nous aurait prises pour deux personnes lançant des mots dans le vide. Mais il n'y avait rien de vide dans nos propos.

Je me sens moins seule depuis que j'ai fait la connaissance d'Emma. J'ai plus d'affinités avec elle qu'avec Bénédicte. Celle-là est trop volontaire pour moi. Trop déterminée. Une révolutionnaire. Bénédicte a d'ailleurs fini par me confier que ses parents l'avaient placée de force à l'asile parce qu'ils ne réussissaient pas à en venir à bout. C'est une sorteuse, une débauchée. Elle ne va pas à la messe. Elle ne veut pas se marier, ni avoir d'enfants. Elle soutient que les femmes peuvent être autre chose que les esclaves des hommes et de leurs marmots. Elle a usé la patience de son père qui regrette beaucoup de lui avoir payé des études. Il affirme, semble-t-il, que l'école a endommagé le cerveau de sa fille et que, maintenant, elle a la nature féminine toute détraquée. Il se lamente que c'est une sauvage. Bénédicte est donc à l'asile pour être dressée. Loin de se cacher ici, elle ne fait que comploter pour s'échapper. Je peux définitivement l'éliminer de ma liste de suspects. Dorénavant, je devrai lui consacrer moins de temps. Dommage, mais j'ai une investigation sérieuse à mener.

Parfois, j'aurais quasiment le goût d'oublier ma fichue mission et de me dévouer à ma nouvelle amitié avec Emma. Je me déteste de devoir la soupçonner au même titre que les autres insensées qui peuplent mon quotidien. Mais les ordres de mon bien-aimé sont formels. Je dois l'aider à découvrir les imposteurs. Ceux qui jouent la folie pour éviter la prison ou la potence. Je dois mettre mes sentiments de côté et poursuivre mon enquête, quoi qu'il m'en coûte. J'espère que je ne découvrirai pas qu'Emma est une mauvaise femme. Franchement, j'aimerais mieux qu'une piste me mène vers Léontine ou Séraphine ou Léonie. Cependant, il y a peu de chances que cela arrive. Je suis bien obligée de l'admettre. À moins que le mysticisme de Léontine ne cache des remords insoupçonnés, tout comme l'ivrognerie de Léonie. Certains boivent pour oublier, dit-on. On peut souhaiter effacer un crime de sa mémoire, non? Alors d'accord, je continuerai de chercher des indices sur ces deux-là. Quant à Séraphine, elle me semble franchement inoffensive. Bien sûr, elle peut devenir violente si on s'approche trop près d'elle. Pire encore si on lui enlève son bandeau anti-ondes magnétiques. Mais ses agissements paraissent trop déments pour être volontaires. Non, vraiment, je raye le nom de Séraphine de ma liste.

7

Maude avait été enfermée dans une cage minuscule. Si elle se tenait droite, sa tête touchait le plafond grillagé. Il lui fallait donc la pencher de côté. Par une improbable gymnastique, la captive avait réussi à coller son oreille aux barreaux. Elle entendait des murmures, des mots confus venant de très loin. Un gardien la surprit dans cette activité apparemment interdite et se mit à cogner sur le métal de la cage avec une matraque. Il semblait prendre un malin plaisir à imposer à son arme des allers-retours le plus près possible des oreilles de la prisonnière. Le bruit de frottement devenait de plus en plus strident. Insoutenable.

Maude s'éveilla en sursaut.

Le soleil entrait par la fenêtre de son salon et lui chatouillait le bout du nez. Il fallut un instant à la belle endormie pour comprendre qu'elle était chez elle et que le tintamarre qu'elle avait perçu ne provenait pas d'un geôlier sadique, mais bien de son propre téléphone. Pour la centième fois, Maude se promit de changer sa sonnerie de cellulaire et de choisir un air un peu plus mélodique. En attendant, elle plongea la main dans une poche de sa veste roulée en boule sous sa tête et s'empara de l'objet qui paraissait furieux d'avoir été trop longuement ignoré. Tel un enfant capricieux, il hurlait, et Maude sentait ses tympans vibrer. Alors qu'elle s'apprêtait à répondre, le cou endolori par sa nuit dans un fauteuil, la jeune femme remarqua que le plat de pâtes entamé la veille avait glissé sur le sol, répandant de la sauce tomate sur le faux tapis persan et sur le manuscrit de Blanche Taylor qui était par terre lui aussi. Les bords du cahier étaient tachés. *Pourvu que les dégâts soient superficiels,* se fustigea la doctorante, le cellulaire toujours aussi fâché à la main. Maude aurait même juré que l'intensité de la sonnerie avait profité des dernières secondes pour grimper de plusieurs décibels. Décidément, la journée commençait mal et le ton avec lequel elle répondit enfin fut plus sec qu'elle l'aurait voulu. À dire vrai, son «allô» tenait davantage de l'aboiement que de la salutation.

— Zut! Je tombe à un mauvais moment? s'excusa sa mère.

— Mais non, maman. Désolée. C'est seulement que je me suis endormie dans le salon et que j'ai foutu un joli bordel.

— Rien de trop grave, j'espère.

— Non. Plus de peur que de mal, l'assura Maude en récupérant le récit de Blanche et en constatant avec soulagement que le cerne rougeâtre ne touchait que les marges du papier.

— Et qu'est-ce qui t'a retenue aussi tard dans ton salon? Une belle visite? demanda la mère qui se désespérait de savoir sa fille encore célibataire à vingt-trois ans et qui ne manquait pas une occasion de le lui signaler.

Maude secoua la tête et décida de se moquer un peu de sa maman adorée.

— En effet, j'ai rencontré quelqu'un.

— Quand me le présentes-tu?

— «Le»? Et si c'était une «elle»?

L'étudiante n'avait aucun mal à imaginer la moue de son interlocutrice vexée d'avoir été surprise en flagrant délit d'*hétérocentrisme,* alors qu'il y avait plus de dix ans qu'elle filait le parfait amour avec Béatrice, une pédopsychiatre lumineuse.

— Franchement, Maude! S'il y a quelqu'un qui pourrait comprendre ça, c'est bien moi! Mais jusqu'à maintenant, tu n'as fréquenté que des jeunes hommes. Pas toujours des choix très éclairés d'ailleurs. Mais là n'est pas la question. Mon «le» était justifié suivant la loi des probabilités. Loin de moi l'idée de t'obliger à te fondre dans le moule d'une société encore trop bornée par moments. Une société aux vues tellement étroites qu'il m'a fallu des années pour m'avouer ma propre orientation sexuelle. Que dis-je? Pour même la ressentir! Jamais je ne voudrais t'imposer un tel carcan, ma chérie. Tu le sais, n'est-ce pas?

Maude entendit le rire cristallin de Béatrice qui ne devait pas être loin du téléphone, à l'autre bout de la ligne, et qui se réjouissait de voir sa compagne s'empêtrer dans ses explications.

— Tu es contente, là? fit sa mère d'un ton faussement insulté. J'appelle seulement pour prendre des nouvelles et me voilà en train de débattre d'homophobie et de faire rire de moi... Alors qu'il n'est que huit heures du matin!

— Pardonne-moi, maman. Mais c'est si facile de te provoquer sur ce sujet! Je n'ai pas pu résister!

— O.K. *Ego te absolvo*. Pour cette fois. Alors, le diras-tu à la fin? Qui est cette personne que tu as rencontrée?

— Elle s'appelle Blanche Taylor.

Émilie, la mère de Maude, ne mordit pas à l'hameçon. Elle garda plutôt le silence, ce qui obligea son interlocutrice à continuer.

— C'est une fille de papier.

— Une fille de papier ?

— J'ai trouvé un document passionnant, annonça Maude plus sérieusement.

— Tellement passionnant que tu t'es endormie dessus ? ne put s'empêcher de répliquer Émilie.

— Ha, ha, ha ! Touché, concéda l'étudiante avant d'expliquer l'histoire plus en détail à sa mère.

— Voilà certainement de quoi nourrir ta thèse de doctorat, conclut la mère de Maude après l'exposé de sa fille.

— Pas vrai ? Quand je te disais que c'était passionnant… Puisque Béatrice est avec toi, ça te dérangerait de me la passer un instant ? demanda la doctorante. J'aurais quelques questions à lui poser sur les anciens traitements psychiatriques.

— Avec plaisir.

La pédopsychiatre s'empressa de prendre le combiné, ravie d'échanger quelques mots avec celle qu'elle considérait comme sa fille.

Béatrice était entrée dans la vie d'Émilie alors que Maude entrait elle-même dans l'adolescence. La rencontre aurait pu être difficile, voire pénible. Ressembler à une collision fatale. Il n'en fut rien. Partie en France deux semaines pour essayer de ranimer un moral défaillant, Émilie en était revenue resplendissante et pas qu'un peu surprise d'être tombée éperdument amoureuse… d'une femme ! Étonnée elle aussi, mais surtout rassurée de voir sa mère sourire de nouveau, la petite Maude avait accueilli Béatrice avec une joie sincère. La jeune femme qu'elle était maintenant devenue ressentait une gratitude éternelle pour celle qui avait redonné le goût de vivre à sa maman éprouvée par la disparition de son conjoint des années auparavant. Béatrice avait, quant à elle, été conquise par la vive intelligence de l'adolescente, par sa ferveur pour l'histoire, la musique rock et la course automobile. Elles étaient vite devenues très proches toutes les deux.

— Qu'as-tu déniché de si intéressant ? s'enquit-elle après avoir salué sa belle-fille. Une biographie autographiée d'Ayrton Senna ? Ou alors de Mick Jagger ?

Pour la seconde fois de la journée, Maude résuma sa découverte.

— J'adorerais lire ça, fit Béatrice.

— C'est sûr ! Mais on me l'a prêté seulement pour la fin de semaine, mentit Maude, trop gênée pour avouer la totale irrégularité de l'emprunt en question.

— Émilie et moi avions justement l'intention d'aller écumer les antiquaires du Vieux-Port de Québec, demain. Si ça te convient, on pourrait passer quelques instants chez toi, une fois nos emplettes terminées. Ça me donnerait la chance d'examiner ce document inédit.

— Ce serait génial, Béatrice. Mais en attendant, j'ai déjà une ou deux questions. Ça t'embêterait de me guider?

— Je veux bien essayer.

Maude reprit le manuscrit et se rendit à la page où Blanche Taylor décrivait sa séance de douche glacée. Pour le bénéfice de son interlocutrice, elle relut le passage à voix haute. «J'ai dû subir le supplice du bain-douche. Une autre affaire dont je me plaindrai à mon amoureux, le moment venu… On m'a mise de force dans une grande cuve en bois et on a fait couler de l'eau froide sur mon corps. Pendant quinze minutes, ai-je appris par la suite. Moi, j'avais perdu la notion du temps. J'étais glacée jusque dans mes os.»

— De quoi parle-t-elle? demanda l'étudiante. On faisait vraiment ça, à l'époque?

Béatrice soupira.

— Il faut se placer dans le contexte, Maude… Tu imagines un peu à quoi devait ressembler un asile avant l'ère des médicaments modernes? Quel soulagement les soignants pouvaient-ils apporter aux pauvres malades ?

— Oui, mais quand même ! Une douche froide de quinze minutes !

— Je comprends que ça puisse te sembler inconcevable. Et que Blanche l'ait vécu comme une véritable torture. Mais je ne pense pas que l'idée derrière ce traitement était de faire souffrir.

— Alors quoi ?

— De calmer. De permettre au patient agité de se ressaisir. De se détendre.

— Tu y vas un peu fort, là, Béatrice ! Se détendre !

— Il existe des spas très branchés qui offrent des bains de neige.

Maude allait riposter quand elle se souvint de son expérience dans un spa du boulevard René-Lévesque, un cadeau d'anniversaire de sa bande de copines, pour ses vingt ans. Après une bonne quinzaine de minutes dans un sauna, elle s'était effectivement plongée avec délices dans un bain glacé.

— Oui, mais ça suit habituellement un moment passé dans une chaleur extrême. C'est le contraste qui fait du bien.

— Je ne suis pas là pour défendre des méthodes archaïques, Maude. Sauf que je pense que le principe de rafraîchir le corps pour apaiser un esprit échauffé n'est peut-être pas si fou que ça, au fond.

— Vu ainsi…, admit la doctorante.

— Tu sais, ajouta Béatrice, les bains-douches étaient déjà un progrès par rapport à des méthodes plus primaires.

— Ouch! Un progrès? Je ne suis pas certaine de vouloir entendre la suite…

— Pour une doctorante en histoire, je te trouve bien timorée, la taquina Béatrice.

— O.K, O.K, fais-moi peur.

— Eh bien, pendant un certain temps, il y a eu la balançoire.

— Ça n'a pas l'air si méchant.

— J'aimerais bien t'y voir. On attachait le malade sur une chaise que l'on faisait tourner très vite sur elle-même, au moyen d'une manivelle, pendant de longues minutes.

— Et quel était le but de cette opération?

— Remettre les idées en place, j'imagine.

— Tu ris de moi?

— Pas du tout. Quand je te dis qu'on n'avait pas grand-chose à offrir aux patients autrefois.

Maude renifla avec dédain.

— Franchement, ça me désole. C'est d'un primitif…

La pédopsychiatre ne releva pas l'impertinence du commentaire, songeant qu'elle était plutôt d'accord avec sa belle-fille. Elle se surprit à penser que dans cent ans, certaines personnes jetteraient probablement le même regard sceptique et méprisant sur les traitements qu'elle-même trouvait aujourd'hui si pertinents. Thérapie aujourd'hui, barbarie demain… La conversation avec Maude était une salutaire leçon de modestie.

— Quoi d'autre ? poursuivit Maude. Tant qu'à y être…

— Les autres traitements auxquels je pense ont suivi l'époque à laquelle ta narratrice a été internée.

— Dis toujours, je me coucherai moins niaiseuse…

— Je n'ai jamais dit que tu étais niaiseuse !

— Non, c'est vrai. Juste timorée.

— Hou là là… Susceptible, la demoiselle !

— Mais pas du tout, je blague.

— Merci de m'en aviser.

— Alors, tu continues la visite du musée des horreurs ?

— O.K. Mais je veux que tu te rappelles que tout cela était fait avec de bonnes intentions. D'accord ?

— D'accord.

— Il y a eu la malariathérapie, vers mille neuf cent dix-sept.

— En français, s'il te plaît ?

— Le premier traitement un peu efficace de la syphilis, une maladie terrible à

126

l'origine de plusieurs internements psychiatriques au dix-neuvième siècle et au début du vingtième. Quand elle atteignait le cerveau, cette infection causait de profonds changements de personnalité, des délires de grandeur, et même de la démence. C'était très grave et il n'y avait aucune cure connue. Jusqu'à la malariathérapie qui consistait à inoculer au malade le microbe de la malaria. Cela provoquait de fortes poussées de fièvre qui tuaient le tréponème de la syphilis, ou, du moins, en ralentissaient la progression.

— Original.

— On fait ce qu'on peut, ma belle.

— Et encore?

— L'insulinothérapie, entre mille neuf cent vingt-sept et mille neuf cent trente-trois. Pour toutes sortes de raisons un peu compliquées à expliquer, on pensait que ça soignerait la schizophrénie. On s'est finalement rendu compte que ça ne donnait rien.

— Tu me dis tout ça de mémoire? s'enquit soudain Maude, impressionnée.

— Oui, mais je n'ai pas vraiment de mérite… J'arrive d'un congrès et l'une des conférences portait sur l'histoire de la psychiatrie. Le présentateur était fascinant. Je l'aurais écouté pendant des heures.

— Je vois, mais quand même, tu es pas mal bonne. Il y en a d'autres?

— La convulsivothérapie. D'abord par la médication, en mille neuf cent trente-quatre. Puis par l'électricité, en mille neuf cent trente-huit.

— Les fameux électrochocs?

— Eh oui.

— Sans commentaire. Il reste autre chose?

— Je pourrais continuer longtemps, mais je m'arrêterai avec la lobotomie. On l'a utilisée pour la première fois en mille neuf cent trente-cinq. Elle est arrivée au Québec à l'hôpital de Verdun en mille neuf cent quarante-six.

— Comment pouvait-on penser améliorer l'état mental de quelqu'un en lui perforant le crâne comme une boîte de conserve?

— L'idée, je crois, était de détruire des connexions nerveuses défectueuses entre les lobes préfrontaux et le centre du cerveau. Cela devait soulager le malade.

— Ça fonctionnait?

— Parfois… Puis, il y a eu les premiers psychotropes modernes. Dans les années cinquante.

— Et avant? On donnait quand même des médicaments, non?

— Si. Mais peu spécifiques. Des calmants. Bourrés d'effets secondaires, la plupart du temps.

Maude feuilleta le journal de Blanche, cherchant le passage où elle décrivait ses médicaments.

— Blanche Taylor parle de cachets amers qui donnent une mauvaise haleine. Ça te dit quelque chose ?

— Si mes souvenirs sont bons, il doit s'agir de bromure de potassium. Une horreur de médicament. D'innombrables complications : nausées, vomissements, léthargie, confusion… En veux-tu, en voilà !

— Beurk… Dégueulasse !

— À qui le dis-tu ! Il me semble avoir entendu à la conférence que ce produit pouvait même occasionner des psychoses. Tu sais ce qu'est une psychose, pas vrai ?

Sans laisser à Maude le temps de répondre, Béatrice poursuivit sur sa lancée.

— On est psychotique quand on ne sait plus distinguer l'imaginaire de la réalité. Alors, tu vois un peu le dilemme… Pour traiter un problème, on donnait une pilule qui pouvait en causer un autre peut-être plus grave ! Génial, non ?

— De quoi s'assurer une clientèle fidèle, ironisa l'étudiante.

— Effectivement. Je doute, cependant, que là ait été le but de l'opération. Les aliénistes avaient assez de clients «naturellement». Inutile de magouiller pour en attirer d'autres.

La pédopsychiatre s'interrompit quelques secondes. Maude l'entendait quasiment réfléchir.

— Il y a quelque chose que je ne saisis pas bien, reprit Béatrice. Tu me dis que Blanche Taylor est hospitalisée pour mener une enquête, vrai ?

— Oui, c'est ce que j'ai compris. À moins qu'elle ne soit vraiment folle… Malheureusement, ça se pourrait aussi…

— En effet, la possibilité existe… Et même plus qu'une possibilité selon moi…

La doctorante échappa un long soupir. En quelques heures à peine, Maude s'était attachée à Blanche. Elle voulait croire la version selon laquelle la jeune femme avait accepté de jouer la folie pour aider son amoureux, le surintendant médical. Mais l'étudiante savait bien qu'il était tout à fait envisageable que Blanche ait souffert d'une grave maladie mentale… Entendre Béatrice exprimer ce même doute lui serrait le cœur.

— Ce serait tellement triste qu'elle ait tout imaginé, reprit l'étudiante.

— Même si c'était le cas, ce document demeure exceptionnel. Tu vas y apprendre des détails incroyables sur la vie asilaire de l'époque. Si je m'écoutais, j'irais te voler ce cahier sur-le-champ ! Mais je serai raisonnable, je te laisserai donc à ta lecture. Téléphone-moi si tu as besoin d'autres clarifications. On se voit demain. Veux-tu reparler à ta mère ?

Maude échangea quelques mots avec Émilie, confirma le rendez-vous du lendemain, puis raccrocha. Elle s'obligea à prendre une douche, chaude, et à aller faire quelques emplettes, frigo vide oblige, avant de s'autoriser à replonger dans le carnet de notes de la jeune internée. Il était neuf heures du matin.

8

Pendant quelques semaines, j'ai réussi à me convaincre de l'innocence totale d'Emma. Puis, le doute s'est glissé en moi. Comme un poison sournois. Comme un serpent. Il me dévore de l'intérieur. Je suis certaine que je maigris par en dedans. Je vais bientôt disparaître. Et puis, au fond, pourquoi pas ? Qu'est-ce que j'ai de si important ? À part mon amoureux, bien entendu. Ma propre famille ne vient jamais me rendre visite. Des fois, j'ai l'impression d'être née ici. Je crois l'avoir déjà dit. Ou peut-être pas. J'ai la mémoire pleine de trous. Fichus médicaments que sœur Marcelle me force à avaler. Ils me grugent la cervelle comme des souris.

Guillaume a deviné que je tiens une suspecte. Pendant une de ses rares visites à la salle Sainte-Madeleine, il m'a questionnée à mots couverts. C'est toujours ainsi entre nous. Nous sommes tenus à la plus totale discrétion.

Pour le moment, notre amour ne peut être public, même si le mariage de mon amoureux n'a aucune validité. Et même si je suis ici pour son bénéfice. Rien ne doit s'ébruiter. Parfois, je trouve le secret difficile à porter. Heureusement, Guillaume profite de toutes les petites occasions qui se présentent à lui pour me témoigner son affection. Ses regards qui veulent tout dire ; la façon spéciale dont il s'informe de mon état auprès de l'officière de salle ; la douceur de sa voix quand il s'adresse à moi. Mais il arrive qu'il doive se montrer dur, pour éloigner toute suspicion d'attachement entre nous. J'ai beau savoir qu'il fait cela pour notre bien, qu'il veut seulement détourner l'attention de nous, il y a des jours où j'ai envie de laisser tomber les masques. Je voudrais crier au monde que nous nous aimons. Toutefois, la peur du scandale me retient.

Des fois, je pense que nous poussons nos rôles un peu loin. Comme ce jour où, peu de temps après mon arrivée à l'asile, Guillaume a insisté pour que je me soumette à une séance d'hypnose. J'ai fini par comprendre que c'était nécessaire pour donner le change et rassurer les autres sur mon véritable statut de malade. J'étais quand même terrifiée. Et si je gâchais tout en clamant la vérité ? Je n'ai, évidemment, aucun souvenir de ladite séance. J'ai cependant remarqué que, depuis ce jour, l'officière de salle et son aide principale, sœur Clotilde du Sacré-Cœur, me regardent avec une drôle de mine. Comme apitoyée et fâchée à la fois. Je me demande quelle stupidité je peux avoir déclarée sous hypnose. Peut-être que j'ai avoué mon amour pour le docteur Morin, ainsi que nos projets de mariage, et qu'elles m'ont déclarée folle à lier. Il y a une fille dans ma salle, Marie-Rose, qui raconte à tout le monde qu'elle a été hypnotisée de force dans un cirque, puis qu'elle a été séduite par le dompteur de lions. Ça ne me rassure guère.

Toujours est-il que, dernièrement, le surintendant est venu me voir et s'est informé de mes progrès. Il était si subtil! J'avais de la misère à ne pas sourire. Les autres n'y ont vu que du feu, qu'un aliéniste s'adressant à une malade. Reste que derrière chacune de ses questions se cachaient des sous-entendus. Son habileté était prodigieuse et je me gonflais d'orgueil à la pensée que cet homme génial était mon amoureux à moi. J'en roucoulais par en dedans. Sauf que j'ai perdu le goût de rire et de roucouler quand je me suis rendu compte qu'il s'attendait à ce que je lui livre Emma. Ma seule amie ici. J'ai fait silence. J'ai failli lui parler de Bénédicte à la place, inventer une histoire. Je suis certaine que Bénédicte aimerait mieux se trouver en prison qu'à l'asile. De là, elle aurait au moins une chance de sortir. Il paraît qu'il y a toujours des hommes prêts à payer la caution des pauvres filles incarcérées. En échange de «services futurs», évidemment. Connaissant Bénédicte, elle réussirait sûrement à tirer son épingle du jeu. Toutefois, comme je n'avais pas discuté d'un tel plan avec la principale intéressée, je n'ai pas osé m'avancer. Je me suis tue. Le docteur Morin a paru désappointé. Je l'ai vu échanger quelques mots avec sœur Clotilde. Elle m'a coulé un regard soucieux et a hoché la tête. Elle a aussi indiqué du menton la direction des cellules d'isolement. Docteur Morin a haussé les épaules, l'air de dire : «Si c'est ce qu'il faut...» Puis, il est parti. Ça fait des jours que je ne l'ai pas revu. Je devrais m'ennuyer à mourir mais, dans le fond, je suis contente. Tant qu'il n'insiste pas, je n'ai pas à trahir Emma.

N'empêche que je sens la pression. Mon amoureux veut que je l'aide à traquer les imposteurs. Il va revenir. Il va me rappeler notre entente. J'aurai de plus en plus de mal à lui résister. Alors, j'ai élaboré un plan. Un tout petit plan. Pas un plan d'évasion. Non, juste un petit projet de mise au point. J'ai attendu la bonne occasion et, un soir, elle s'est présentée. Le gardien de nuit avait oublié de verrouiller la porte de la salle pendant qu'il faisait la tournée du dortoir. Je m'en suis aperçue en revenant des toilettes. J'en ai profité. Comme qui dirait, j'ai pris la poudre d'escampette. Direction le bureau du surintendant.

L'asile ressemble à un château, je l'ai déjà écrit, je pense. Il a un corps central et deux ailes sur les côtés. À droite, c'est l'aile des femmes. À gauche, celle des hommes. Les ailes sont réunies par la chapelle et, juste à côté de celle-ci, il y a les bureaux de l'administration et des médecins. Je me sentais assez faraude de m'aventurer là-bas en pleine noirceur, comme si j'étais en train de me changer en une espèce de Bénédicte avec du front tout le tour de la tête. Mon cœur battait vite. Je n'étais pas certaine d'atteindre le bureau de Guillaume facilement. Mais il le fallait. Je devais lui expliquer ma réticence à parler d'Emma. Il n'a aucune idée de ce qui se passe dans les salles, une fois qu'il a le dos tourné. Il ne sait pas à quel point les internées sont sans pitié entre elles. Il ne sait pas que, quand je passe près de Victoria et de Léontine, je les entends chuchoter : « C'est elle... C'est la faiseuse d'anges... Emma Tailleur. » Elles sont mauvaises. Elles veulent du mal à la petite Emma. Pas besoin d'en rajouter en l'accusant d'imposture criminelle. Elle souffre suffisamment. J'ai peur qu'elle se tue. D'ailleurs, je ne serais pas surprise qu'elle ait déjà attenté à sa vie. Il y a des rumeurs. Alors, il faut que Guillaume la laisse tranquille. Il ne doit plus me questionner à son sujet. Je comprends qu'il ne veuille pas de simulatrices dans son asile. Toutefois, la recherche de la vérité n'exclut pas la compassion. C'est avec cette idée en tête que j'ai contourné les gloriettes, traversé la pelouse mouillée par le serein, puis remonté l'allée de gravier. J'ai poussé la porte menant à la zone administrative. Qu'elle ait été déverrouillée, elle aussi, m'a paru un signe du destin. Dieu lui-même approuvait ma démarche.

Finalement, je n'ai eu aucun mal à dénicher le bureau de mon Guillaume adoré. Une plaque de cuivre gravée à son nom était fixée près de la porte. En sa qualité de surintendant, mon bien-aimé occupe un cabinet assez spacieux et, surtout, situé dans un angle, ce qui lui donne deux fenêtres. Je voyais la lune par l'une d'elles. J'ai tiré les rideaux, puis allumé une lampe. On ne s'inquiète pas avec les dépenses ici. Les lampes sont électriques. Pas à gaz comme dans les maisons des quartiers ouvriers. On peut se fier aux religieuses pour se tenir à la fine pointe du progrès. À l'asile, on a même le téléphone ! Et l'eau courante ! Et l'eau chaude ! Et une gare qui nous relie au reste du monde. Mais je me perds, là. Revenons-en à nos moutons, *Sacrabouille* ! comme dirait le père Joseph. Je suis de bonne humeur aujourd'hui. C'est pour ça que je plaisante.

Dans un coin du bureau du surintendant, il y avait une patère. Et une des vestes de mon amoureux y était accrochée. J'y ai enfoui mon nez. Je fais toujours ça. Je suis très sensible aux odeurs. Certaines me donnent le goût de vomir, l'alcool surtout. D'autres me mettent les larmes aux yeux, sans que je sache pourquoi. Comme celles des gâteaux et des biscuits frais sortis du four. Pourtant, la plupart des gens pensent que ça sent bon. Reste que moi, ça me rend nostalgique et je finis tout le temps par pleurer. Je suis bizarre. Je sais. Pas besoin de le répéter. Je me suis arrachée au vêtement de Guillaume et j'ai pris place dans son gros fauteuil de cuir noir pivotant, derrière son bureau. J'ai fait comme si j'étais lui et j'ai examiné la pièce. Il y avait une bibliothèque avec des portes vitrées pour empêcher la poussière de se déposer sur les livres. Elle était grosse, en acajou, solide, vernie, comme le seront les meubles de notre future maison. J'ai caressé la surface de la table de travail et le sous-main de cuir, soupesé le stéthoscope qui traînait là.

Tout à coup, mes yeux sont entrés en collision avec un petit cadre en argent qui contenait une photographie de la femme de mon bien-aimé et de sa fille. Je les ai reconnues. Une fois par mois, elles viennent au bal donné par les sœurs de l'asile. Pas moyen d'échapper à leur présence. Même pas pour une heure ou deux ! J'ai senti la tarentule de la jalousie me piquer. Deux fois plutôt qu'une. Je déteste ces voleuses qui obligent Guillaume à leur jouer une comédie d'amour alors que c'est moi qu'il aime et avec moi qu'il veut vivre ! Si je pouvais les faire disparaître avec la puissance de ma pensée, je n'hésiterais pas une seconde. Mais ce ne sera pas nécessaire. Quand ma mission sera accomplie et que mon adoré me reconnaîtra pour sienne, ces vilaines tomberont en poussière. Ce qui m'appartient de plein droit me reviendra. En attendant, je me suis contentée de leur faire une grimace. Ça m'a un peu soulagée.

J'ai pris une feuille de papier, une plume que j'ai trempée dans l'encrier, et j'ai rédigé un message pour le docteur Morin. Au cas où quelqu'un d'autre que lui tomberait dessus, j'ai opté pour un ton formel. Je n'ai pas fait allusion aux liens qui nous unissent. En gros, je lui ai conseillé de laisser Emma Tailleur en paix. Je lui ai expliqué qu'il y a des limites à se prendre pour Dieu, qu'il ne peut pas, à lui seul, décider qui mérite ses soins et qui mérite de moisir en prison ou de pourrir au bout d'une corde. Je lui ai aussi fait comprendre que si Emma ne veut pas se confier à lui, c'est qu'elle a sûrement de bonnes raisons. Qu'elle mourrait peut-être s'il exigeait qu'elle regarde en face une vérité qui lui ferait trop mal. Je n'ai pas signé la lettre. Il saura forcément que ça vient de moi.

Je manque toujours de bon papier. Comme il y en avait des quantités un peu partout, j'ai saisi une pile de feuilles que j'ai glissée sous mon bras. J'allais partir quand j'ai eu envie de voir ce que Guillaume conservait dans l'armoire située derrière sa table de travail. J'ai fait tourner le fauteuil et j'ai ouvert les deux battants. Des rangées de bocaux de verre de plusieurs pintes s'étalaient sur les étagères de bois sombre. Et, dans ces bocaux, flottaient des choses bizarres. On aurait dit de vieux choux-fleurs tout gris et tout ramollis. Une planche anatomique, clouée à l'intérieur d'un des battants, m'a appris qu'il s'agissait de cerveaux humains. J'ai manqué perdre connaissance. Surtout quand j'ai vu que certains de ces cerveaux étaient tranchés et qu'on pouvait y voir tout un assortiment de bosses et de trous qui levaient le cœur… Des étiquettes rédigées à la main avaient été collées sur quelques contenants. « Hydrocéphalie », proclamait l'une. « Tumeur mortelle », annonçait une autre. « Apoplexie fatale », affirmait une troisième. J'en avais assez vu. J'ai claqué une des portes de l'armoire et, avant de claquer l'autre, j'ai aperçu les cerveaux tournant sur eux-mêmes, secoués dans leur bocal. C'était comme un carrousel diabolique. J'ai eu tellement peur que je me suis sauvée en courant. J'avais l'impression que les cerveaux allaient bondir en dehors de leur contenant et qu'ils me poursuivraient. Je les sentais quasiment sur mes talons, furieux d'avoir été dérangés. Je ne me souviens pas comment j'ai fait pour retrouver ma salle et mon lit. Je n'ai pas dormi du reste de la nuit. J'étais certaine que Guillaume serait furieux de mon intrusion. Je redoutais sa colère. Mais il ne m'en a jamais parlé. Au contraire, le lendemain, il m'a fait remettre par sœur Clotilde le paquet de feuilles que j'avais échappées sur le sol de son bureau, en partant à toute vitesse. Le message est clair : « Continue ton enquête, ma belle. Prends des notes pour moi. » Je dois me marcher sur le cœur pour lui obéir. Mais je dois loyauté à mon bien-aimé, alors je le fais.

Maude effleura du revers de la main le beau papier épais sur lequel cette partie du journal de Blanche était maintenant consignée, à la suite des feuilles lignées d'écolière. Que signifiait ce cadeau de Guillaume Morin ? Il semblait vraiment encourager la jeune femme à écrire. L'enquête pouvait-elle être réelle après tout? L'étudiante en histoire secoua la tête, perplexe.

Quand j'ai rencontré Emma pour la première fois, j'étais loin de me douter de toute l'importance qu'elle allait prendre à mes yeux. Et puis, pour être précise, j'ai entendu parler d'Emma bien avant de faire officiellement sa connaissance. Après le souper, à l'heure où je mène discrètement mon enquête, j'ai souvent surpris des conversations à son sujet. Il s'agissait de bribes de discussions, des fois pas plus que des murmures. Des ragots méchants l'accusant d'être une meurtrière, lui suggérant de débarrasser la place et de se suicider une bonne fois pour toutes. Dès que je tendais l'oreille pour identifier l'auteure de ces odieux propos, les chuchotements s'éteignaient. Ça me rappelait le jour où un grillon était entré dans la cuisine alors que je brassais une soupe. Il stridulait tant que c'en était franchement énervant. Et aussitôt que je me déplaçais vers lui, il se taisait. Je ne bougeais plus, il recommençait son cirque. J'avançais d'un ou deux pieds, silence de nouveau. On a joué un bon moment à ce jeu du chat et de la souris. J'ai laissé brûler la soupe. Je n'ai jamais trouvé le cornichon de grillon. Du moins, je ne m'en souviens pas.

Tout ça pour dire que j'ai fini par être intriguée. Qui pouvait bien être cette Emma dont tout le monde parlait en douce? Quand je l'ai enfin rencontrée, j'ai senti une passerelle se construire entre elle et moi. Au début, j'ai trouvé ça étonnant. Je ne comprenais pas ce qui pouvait me rapprocher de cette fille pourtant si différente de moi. Elle est domestique. Je suis fille de bourgeois. Elle a été transférée ici de la prison après avoir essayé de s'empoisonner. Je suis ici de mon plein gré. Elle est sûrement coupable de quelque chose d'horrible. J'ai l'âme blanche comme mon prénom. Elle est canadienne-française. Mon père est un Canadien anglais. Malgré cela, nous partageons le même nom de famille, Tailleur n'étant que la version française de Taylor! Quelle coïncidence! Je ne m'en étais pas rendu compte avant que sœur Clotilde du Sacré-Cœur attire mon attention sur le sujet.

Ce jour-là, nous étions dans le jardin des simples à enlever les mauvaises herbes pour que l'aconit et la belladone poussent bien. Ce sont des plantes avec lesquelles on fabrique certains médicaments dont on se sert à l'asile. Il faut en prendre grand soin.

— C'est quand même bizarre, a lâché sœur Clotilde à brûle-pourpoint.

Je ne voyais pas de quoi elle parlait. J'ai pensé avoir été distraite et avoir manqué le début de sa phrase. Alors, je lui ai demandé:

— Qu'est-ce qui vous paraît bizarre?

— Que tu sois devenue l'amie de celle qui a presque le même nom de famille que toi, a répondu sœur Clotilde. Vous êtes plus d'un millier, ici, et il a fallu que tu choisisses Emma Tailleur.

J'ai sans doute relevé les sourcils en signe d'incompréhension.

— Ne me dis pas que tu ne l'avais pas remarqué! a fait la religieuse devant mon expression interloquée.

Un sourire timide fut ma réponse.

— Taylor, c'est la même chose que Tailleur, mais en anglais! On dirait deux petites sœurs qui jouent à se distinguer.

— Emma n'est pas ma sœur.

— Elle pourrait l'être. Vous vous ressemblez énormément.

Je ne sais pas pourquoi, mais je n'ai pas aimé entendre ça. Sœur Clotilde a dû percevoir mon irritation. Elle a plus ou moins changé de sujet.

— Tu ne m'as pas encore expliqué d'où te vient ton nom étrange, a-t-elle lancé.

— Étrange? Qu'est-ce qu'il a d'étrange?

— Blanche, un prénom bien français, combiné à Taylor, un nom de famille tout ce qu'il y a de plus anglais.

— Rien d'étrange là-dedans. Ma mère était canadienne-française, mon père écossais.

— « Était » ?

— Mes parents sont morts, ai-je dit avant de me redresser et de m'en aller brusquement.

Je n'avais pas le goût d'aller sur le terrain où voulait m'entraîner sœur Clotilde. Je n'aime pas parler de mes parents. Je venais d'affirmer qu'ils étaient morts, alors que la vérité est que je ne garde d'eux qu'un souvenir brumeux. Il me semble parfois entrevoir en rêve une tendre mère m'apprenant à lire et à écrire. Une mère vieillie avant l'âge, dont les traits sont flous, comme le serait une image dans un miroir d'étain cabossé. En ce qui concerne mon père, c'est le noir presque total. J'ai déjà raconté à Bénédicte qu'il était avocat, mais je n'en suis plus certaine. Dès que je songe à lui, un frisson me saisit. Un fort désagréable frisson. Une vague, mais insistante impression d'ignoble trahison m'envahit. Je n'ai aucune idée des allées et venues de mes parents. On dirait qu'une muraille s'est formée entre eux et moi. Voilà pourquoi les conversations sur mon passé me déplaisent. Elles révèlent trop bien les limites de ma mauvaise mémoire.

Sœur Clotilde me troublait vraiment trop avec ses indiscrétions. Pour être franche, on aurait dit que ses questions avaient poussé, dans ma tête, un rideau de théâtre voilant différents actes de ma vie dont je ne reconnaissais pas réellement les scènes qui, néanmoins, me semblaient familières. Du coup, je ne savais plus ce qui était vrai. La réalité était-elle cette pièce se jouant au plus profond de mon esprit ? L'asile prenait des allures de faux. Ma mission aussi. Mes pensées allaient dans toutes les directions. Je détestais cela. C'était comme marcher sur de la glace trop mince et la sentir s'enfoncer dans le lac. Il était fièrement temps que je me ressaisisse. Tout ça parce qu'Emma et moi avons des noms de famille similaires ! Franchement. Je suis certaine que sœur Clotilde lit des romans en cachette. Peut-être même des romans à l'Index ! Et si elle n'en lit pas, elle pourrait en écrire. Elle a l'imagination en feu.

9

J'ai la permission de circuler en ville. Sûrement un privilège qui me vient du docteur Morin. On exige seulement que je sois rentrée pour les repas. Bénédicte est jalouse. Elle dit que si elle était à ma place, elle en profiterait pour prendre la clé des champs. Ça la rend folle de me voir docilement revenir à l'asile chaque fois qu'il le faut. Évidemment, elle ne sait rien de l'enquête que je mène pour mon bien-aimé. Je comprends qu'elle ne comprenne pas. Et comme je ne peux rien lui révéler, elle continue de me prendre pour une créature bizarre, une souris à six pattes ou un lapin rose, quelque chose comme ça.

Quand je n'en peux plus de la folie grinçante qui m'entoure dans la salle, lorsque même la buanderie ou le jardin des simples ne me font plus de bien, je pars quelques heures. Il y a une gare sur le terrain de l'asile.

Pour cinq sous, j'y monte dans un train qui m'emmène à une autre station aux abords du fleuve Saint-Laurent. Là, j'ai le choix : si je prends un train vers l'est, je peux me rendre à Sainte-Anne-de-Beaupré ; vers l'ouest, je me transporte à Québec. Le vingt-six juillet prochain, l'asile organise un pèlerinage à la basilique de Sainte-Anne. Je ne sais pas si j'irai. Ça me gêne un peu de me retrouver au milieu d'un groupe d'aliénés. J'ai ma fierté. En général, je me rends en ville toute seule, un luxe incroyable.

Une fois dans les beaux quartiers, je déambule comme une bourgeoise qui n'a rien d'autre à faire que d'admirer les vitrines. Je prétends m'abriter sous une ombrelle, même si le trousseau fourni par l'asile ne prévoit évidemment pas de telle coquetterie. Pas grave. Je peux avoir autant d'imagination que sœur Clotilde du Sacré-Cœur quand je m'y mets. Et l'ombrelle sous laquelle je protège ma peau du soleil rivalise d'élégance avec celles des autres promeneuses. Toute de dentelle et de soie japonaise avec un manche en ivoire, rien de moins ! Elle coûterait au bas mot six dollars si elle était à vendre dans une des boutiques que je croise sur ma route. Je me donne des airs de riche. Je joue à la pimbêche. C'est bon d'enfiler un autre masque que celui de la pauvre cinglée enfermée à l'hospice… Devant autant d'assurance, on me cède le passage: le livreur de glace se range près du mur pour me laisser défiler, font de même les messieurs chics avec leur grosse moustache en guidon de bicyclette et aussi les jeunes insolents qui fument la cigarette et qui se pavanent sous leur casquette à carreaux. Ces gamins impertinents me font penser à Bénédicte. Des fois, je me dis que c'est vraiment bête qu'elle ne soit pas un garçon. Si c'était le cas, on lui ficherait la paix. On ne l'aurait pas internée juste parce qu'elle aime sortir le soir, s'amuser et fumer. La vie n'est pas juste qui donne tant de liberté aux hommes et qui condamne les femmes à un rôle que toutes n'apprécient pas. Mais je ne suis pas ici pour refaire le monde… Alors, je me contente de mener mon enquête et je m'offre un petit congé de temps en temps.

Quand j'avance d'un pas décidé, les seules personnes qui ne dévient pas de leur route sont les autres femmes. J'essaie de ne pas le montrer, mais je me sens bien modeste face à leurs belles robes d'organdi blanc ornées de cols extravagants et dont la jupe à longs volants flotte tout juste au-dessus du sol. Je me console en me disant que les froufrous de ces dames seront salis par la boue des chemins, alors que ma tenue sombre aura toujours l'air propre. Je lève le nez en l'air pour montrer que je n'envie personne.

Je marche du talon exprès. J'aime le claquement de mon pas sur les trottoirs de bois. Je parcours la rue Saint-Joseph. Elle doit accueillir plus d'une centaine de commerces. Il y a vraiment de tout ici, même une belle église devant laquelle mendient des *quêteux*. Je leur donnerais bien un sou ou deux, mais je suis pauvre comme Job pour le moment. Le peu d'argent que j'ai, je l'ai gagné en vendant quelques tricots et des poupées de chiffon au marché que les sœurs de l'asile ont organisé le mois passé. Je garde ces maigres économies pour payer mes billets de train et de tramway. Ça changera quand le surintendant me mariera et, alors, je serai charitable. Promis.

Le long de la rue Saint-Joseph, il y a également des hôtels, des restaurants et des cafés. Je n'aime pas beaucoup les hôtels, ni les tavernes devant lesquelles je fais de grands détours, parce que l'odeur de l'alcool me lève le cœur et parce que j'ai peur des hommes qui ont trop bu. Je préfère les autres types de commerce: les magasins de fourrure et ceux qui vendent des instruments de musique, les épiceries avec leurs longs comptoirs de bois vernis, leurs fruits exotiques pendant du plafond en gros régimes jaunes et parfumés. Je m'arrête devant les chapelleries et je pense à Germaine qui baverait certainement de convoitise devant tous les beaux chapeaux qui trônent sur des têtes de mannequin. Quand je serai riche, je reviendrai lui en acheter un. Ou même deux. Ou trois ! Au diable la dépense !

Je regarde les devantures des magasins et des ateliers de couturières. Les fêtes du tricentenaire de Québec ont donné naissance à une nouvelle industrie : celle du déguisement. Il y en a encore de bien beaux exposés dans les vitrines de quelques boutiques. Je soupçonne qu'ils s'envoleront avant longtemps : la ville est déjà décorée de drapeaux, de bannières, de banderoles et d'oriflammes pour la grande parade du vingt-trois juillet. Tous ceux qui le peuvent se costumeront pour y participer. En plus des vêtements d'époque, ils porteront des perruques. Ce sera grandiose. On se croira revenu au temps de la Nouvelle-France et de la Conquête. Mais très peu pour moi. Je crains que la boisson ne coule à flots et que des tas d'ivrognes gâchent la fête. Je m'arrangerai pour rester sagement éloignée de ces débordements.

Je limite mes promenades à la Basse-Ville. Quelque chose me retient de monter en Haute-Ville et de me rendre au marché de la côte de la Fabrique. Quelque chose d'imprécis, mais de puissant. Comme si une affreuse mésaventure m'était arrivée là-haut. Comme si un malheur attendait mon retour pour me sauter à la gorge et me tuer. Maudite mémoire en lambeaux qui me fait des angoisses sans que je puisse les raisonner. Il faut absolument que je trouve le moyen de ne plus avaler les poisons de sœur Marcelle. En attendant, je ne dévie pas de mon itinéraire régulier. Du moins pas exprès. C'est plus prudent.

Pour être franche, même dans la Basse-Ville certaines choses m'égratignent la mémoire. Parfois, ça m'arrive devant la vitrine d'une bijouterie. On y vend des boucles d'oreilles, des colliers joliment ouvragés, des bracelets d'or brillant, des épingles à chapeau.. C'est fou la variété qu'on peut s'offrir pour vingt-cinq sous pièce. Elles sont faites de verre, de cristal, de perle, de pierres précieuses ou semi-précieuses. D'argent ou d'or. J'en ai déjà vu ressemblant à des fleurs en boutons. Elles sont très belles. Pourtant, mystère insoluble, elles me glacent le cœur. Je ne sais pas d'où me vient une telle réaction. Ni pourquoi je m'obstine à contempler ce genre de vitrine chaque fois que je vais en ville. On dirait que je veux me punir. Expier un terrible péché. Un peu plus et on croirait que je suis comme Emma et que j'ai commis un crime qui me rend folle de remords. Quel genre de méfait peut-on perpétrer avec des épingles à chapeau ? J'ai peut-être crevé les yeux de quelqu'un ? D'une rivale qui voulait me voler mon amoureux ? Mais non, j'ai encore vu la femme de Guillaume, hier soir, au bal des lunatiques. Ses yeux étaient intacts. Ah, si elle pouvait mourir, celle-là !

Il arrive que la contemplation des étalages de bijoux me fasse décrocher de la réalité, telle une de ces montgolfières qui s'élèvent parfois dans le ciel. Sauf que je ne monte pas au ciel. Plutôt le contraire. Je m'enfonce dans un monde glacé et inhospitalier, un monde où souffle le vent du nord. Je jurerais sentir la neige me piquer les joues et mes larmes geler sur mes cils. C'est très dangereux quand je tombe dans de tels états. L'autre jour, j'ai failli être renversée par le tramway qui parcourt toute la rue Saint-Joseph. N'eût été un bon Samaritain qui a tiré sur ma manche au dernier instant, je passais sous les roues de ce monstre d'acier. Quelle frousse j'ai eue ! Et quelle surprise de constater qu'on était en plein juillet et non au cœur de l'hiver. Le soleil était cuisant. Je le répète: maudites pilules de la maudite et très vilaine Marcelle ! Elle veut vraiment ma mort, celle-là !

Une autre fois, alors que j'étais très loin dans ma tête, j'ai marché de longues heures. Une sorte de poupée mécanique. J'ai oublié de rentrer pour le souper. Le crépuscule est tombé sur la ville, puis la nuit. Il faisait noir. Un noir qui m'engloutissait et qui me soustrayait à la vie des autres. Devenue invisible, je me suis faufilée tout près des fenêtres de coquettes petites maisons. Il y avait des lampes allumées dans des salons confortables et des familles écoutant de la musique diffusée par de gros phonographes fleuris. J'ai vu une jeune femme qui valsait et qui riait en serrant un poupon dans ses bras. Je me suis sentie affreusement seule. Des griffes pointues m'ont labouré le cœur. Aussi dément que cela puisse paraître, j'ai quasiment couru vers le train qui me ramènerait à l'asile Notre-Dame de la Pitié.

Je voulais rentrer chez moi.

Ce n'était pas vers les autres malades que je me hâtais, ni vers les religieuses, mais vers mon bien-aimé. Mon cruel amoureux qui m'oblige à sacrifier des mois de ma vie et des pans entiers de ma mémoire. Tout ça pour soulager sa conscience personnelle. Pour la première fois, j'ai pensé qu'il était bien égoïste. Je me suis dit que jamais, au grand jamais, je n'exigerais autant de qui que ce soit. Surtout pas d'un être aimé... Et puis, aussi vite qu'elles me sont venues, ces idées m'ont fait honte. Le docteur Guillaume Morin a tout à perdre en s'attachant à moi : chaque fois qu'il m'accorde des privilèges, il met sa situation professionnelle en péril. Chaque fois qu'il communique avec moi par des moyens détournés, il risque d'être la risée de ses collègues qui seraient en droit de conclure qu'il s'est amouraché d'une lunatique. Vraiment, il a tout à perdre. Alors que moi... Sans parents, sans amis... Il est juste que Guillaume me mette à l'épreuve.

J'étais confuse. Je me suis perdue. J'aurais eu besoin de l'étoile des Rois mages d'Émile pour me guider. Je dis ça tout en sachant que je ne connais rien à l'astronomie. Même avec une grosse flèche dans le ciel indiquant «Étoile des Rois mages», je n'aurais pas été plus avancée. Alors, étoile ou pas étoile, au lieu d'arriver à la gare, j'ai abouti dans la rue Hermine. Je me suis retrouvée devant un immeuble de pierres grises que je connais bien mais que j'évite le plus possible parce que sa simple vue me broie les entrailles : l'orphelinat Saint-Sauveur. Mes pas m'ont si souvent trahie en me menant là contre mon gré... Je me rappelle avoir déjà collé mon nez contre la grille pour regarder les petits orphelins jouer dans la cour après le dîner. L'un d'eux avait levé la tête pour me fixer, les yeux pleins d'espoir, comme s'il était possible que je sois là pour lui précisément, pour le réclamer, l'arracher à cette sinistre bâtisse et lui donner une vraie maison. Si Guillaume le veut, en plus de nos propres enfants, on reviendra ici en adopter. Ce soir-là, aucun gamin ne s'amusait dehors, bien évidemment. La cour était déserte, comme abandonnée. Lorsque je me suis rendu compte d'où j'étais et de l'heure qu'il devait être, j'ai paniqué. J'ai apparemment réussi à trouver le chemin de l'asile puisque je me suis réveillée dans une cellule d'isolement le lendemain matin. Je n'ai cependant aucun souvenir de mon trajet de retour.

C'est sœur Clotilde qui est venue ouvrir la porte grillagée de ma chambrette. Elle a eu pour moi un geste d'affection inhabituel qui m'a coupé le souffle. Tout doucement, elle a éloigné de mon visage une mèche de mes cheveux blonds et l'a placée derrière mon oreille.

— Tu as eu une dure nuit... Tu veux prendre un bon bain ? m'a-t-elle proposé d'une voix douce. Un bon bain chaud, a-t-elle précisé en apercevant mes yeux agrandis d'effroi à l'idée d'un bain-douche glacé.

J'ai acquiescé. Comme c'était bon de me laisser glisser dans la grosse baignoire pleine d'eau propre coulée seulement pour moi, de laver ma chevelure et de me savonner avec le pain de savon de Marseille, inusable, à peine parfumé.

— Pas trop fort, m'a ordonné sœur Clotilde en me voyant frotter ma peau avec vigueur. Tu ne voudrais pas t'écorcher.

À contrecœur, j'ai diminué la pression. Finalement, je me suis extirpée de la cuve, toute ruisselante. Sœur Clotilde m'a tendu une serviette. Du bout du doigt, elle a désigné les fines lignes blanches qui strient la peau de mon ventre et de mes hanches.

— Tu ne m'as jamais dit d'où te venaient ces cicatrices, a-t-elle fait, avec l'air de quelqu'un qui se fiche pas mal de la réponse.

Un air qui signifie généralement l'inverse.

— Aurais-tu eu un bébé? a-t-elle continué innocemment.

Une autre qui se méprenait sur ces marques.

— Pas du tout. C'est juste que j'étais plus ronde avant. J'ai perdu beaucoup de poids dernièrement.

— C'est quand même curieux, a-t-elle poursuivi. La plupart du temps, les vergetures apparaissent chez les femmes qui ont eu un enfant…

Son insistance m'a fait sourire.

— Sœur Clotilde! Puisque je vous assure que je n'ai jamais été enceinte! Je suis bien placée pour le savoir, non?

— Sans doute, a-t-elle dit en soupirant.

Ce soupir-là m'a énervée.

— Tu veux revenir dans la salle ou tu préfères te reposer encore un peu ici? m'a-t-elle demandé en désignant une chambrette pour deux.

Aussi curieux que cela puisse paraître, j'ai choisi la chambrette. Je ne me sentais pas sociable du tout. Ma mission attendrait un peu.

La clé a tourné dans la serrure. J'étais de nouveau seule. Tranquille. Enfin, pas vraiment seule comme je m'en suis aperçue quelques minutes plus tard. Sœur Clotilde du Sacré-Cœur avait probablement compris que mon apparent besoin de solitude cachait en fait mon désir d'avoir la compagnie de ma seule amie : Emma était là. Nous avons commencé à parler. C'est surtout elle qui avait des choses à me dire. Quand j'y repense, je crois que j'aurais mieux fait de choisir la salle et toute son agitation. Parce que les confidences que m'a faites Emma ce jour-là m'ont transformée à jamais. Ç'aurait été mieux pour moi si je ne les avais jamais entendues. Elle aurait dû continuer de se taire. Quand les muets se mettent à parler, on n'apprend pas toujours de bonnes nouvelles...

Les cloches de l'église Saint-Sauveur sonnèrent midi. Maude leva la tête, surprise par la vitesse à laquelle s'étaient envolées les trois dernières heures. Le journal de Blanche Taylor l'avait littéralement happée. Pourtant, elle n'avait lu que quelques pages. Il faut dire qu'elle multipliait les pauses, fermant les yeux et laissant le décor évoqué par la narratrice l'envelopper. Elle voyait alors, comme si elle y était, ce Québec d'une autre époque. Les tramways, depuis longtemps disparus, tout comme les trottoirs de bois. La rue Saint-Joseph, aussi chic qu'elle le redeviendrait cent ans plus tard après un long intermède de négligence et d'abandon, alors qu'on l'avait couverte d'un toit et qu'elle était devenue le centre commercial le plus mal famé de la cité… Toutes les connaissances historiques de Maude lui permettaient de visualiser l'univers évoqué par Blanche. Et, bientôt, l'étudiante apprendrait peut-être des détails troublants sur sa présumée aïeule. Mais Maude ne voulait pas précipiter les choses. Il lui restait bien du temps. La fin de semaine ne faisait que commencer après tout ! Le manuscrit ne se sauverait pas ; l'histoire qu'il contenait ne partirait pas en fumée. Maude voulait faire durer le plaisir.

Elle déposa donc le cahier sur sa table basse, étira ses bras au-dessus de sa tête et se leva. Elle traversa la petite pièce et se posta devant ses étagères, à la recherche d'un recueil de photos anciennes mettant en vedette la ville de Québec. Il y avait tant de livres sur les tablettes, rangés n'importe comment, qu'il fallut un bon moment à la doctorante pour repérer celui qu'elle voulait. En plus de trouver une nouvelle sonnerie pour son cellulaire, Maude se promit de classer ses volumes dans un certain ordre logique dès qu'elle le pourrait. En attendant, elle emporta le lourd ouvrage et le déposa sur sa table de cuisine pour consultation. Elle ouvrit le recueil et tomba sur une page qui illustrait une parade du tricentenaire de la ville.

La photo avait été prise par une belle journée de l'été mille neuf cent huit, le vingt-trois juillet, précisait le commentaire écrit en dessous ; probablement quelques jours à peine après la sortie dont Blanche venait de faire le récit. Des soldats en uniforme d'apparat et casqués de blanc défilaient à pied dans la côte de la Fabrique. On voyait la basilique-cathédrale Notre-Dame de Québec en arrière-plan et des filins tendus d'un bord à l'autre de la rue auxquels on avait attaché des bande-roles et des drapeaux. Tambour battant, la parade avançait au milieu d'une foule de spectateurs. En se forçant à peine, Maude parvenait à entendre la musique militaire. Des curieux s'étaient postés aux balcons. D'autres s'appuyaient aux rebords des fenêtres et admiraient le défilé. Les ombres étaient très courtes sur le sol, comme s'il était près de midi, là aussi.

Les deux pages suivantes du beau livre formaient une grande image : les fêtes d'inauguration des plaines d'Abraham, l'immense parc donné en cadeau à la ville par le gouvernement fédéral pour les trois cents ans de Québec. Des milliers de personnes paraissaient s'y être réunies pour reconstituer la célèbre bataille du treize septembre mille sept cent cinquante-neuf, celle au cours de laquelle le général Wolfe avait arraché la ville aux Français menés par le marquis de Montcalm. Une note de bas de page précisait qu'ils avaient été quatre mille cinq cents figurants et acteurs à participer à ce grand déploiement. Vêtus de magnifiques costumes, peut-être ceux-là mêmes que Blanche avait admirés dans la rue Saint-Joseph, les faux combattants s'étaient livré des luttes factices.

À présent, les fameuses plaines faisaient tellement partie de la ville qu'il était difficile d'imaginer que ce parc n'avait pas toujours existé dans sa forme actuelle. Une pensée en entraînant une autre, Maude décida d'aller y pique-niquer. Elle se prépara un sandwich, attrapa une bouteille de jus de légumes, une barre tendre et courut prendre l'autobus. Pour quiconque ne la connaissait pas, une telle décision pouvait sembler surprenante. Pourquoi interrompre une lecture au plus fort du suspense ? Parce qu'il n'est pas utile de se presser : un livre tient toujours ses promesses. Et on ne peut en dire autant des gens, aurait précisé Maude en songeant à son père volage aux humeurs imprévisibles. Matthieu avait beau être sorti de la vie d'Émilie et de Maude alors que celle-ci n'avait que cinq ans, il avait eu amplement le temps de négliger mille et un engagements. La jeune femme s'en souvenait. Maintenant, elle réparait les déceptions du passé à sa manière. Si elle repoussait légèrement le moment de reprendre sa lecture, c'était aussi pour le contentement assuré et le plaisir de l'attente. L'année précédente, Maude avait patienté un long mois avant de s'autoriser à feuilleter un livre qu'elle avait commandé des semaines auparavant et dont elle espérait beaucoup. Ce n'était pas la peur d'être déçue qui l'avait retenue, mais bien la joie de savoir qu'elle le possédait enfin et qu'elle pourrait l'ouvrir quand elle le voudrait. D'ailleurs, s'il n'en tenait qu'à elle, les cadeaux de Noël joliment emballés resteraient longtemps sous le sapin, comme autant de possibilités illimitées. Ainsi, aujourd'hui, elle abandonnait le journal de Blanche pour s'imposer une attente délicieuse.

Maude appréciait l'expectative. Reste qu'à deux heures de l'après-midi, c'est quatre à quatre qu'elle grimpa les marches la ramenant chez elle. Sa patience avait des limites.

10

Depuis qu'Emma m'a parlé, j'ai la tête remplie de noirceur. Comme si elle y avait déversé ce qu'elle ne pouvait plus supporter. Comme si elle s'était débarrassée de ses idées sinistres et de ses souvenirs horribles en les plongeant en moi. C'est peut-être une sorcière. Des fois, quand je n'en peux plus, je lui crie de me laisser tranquille. Je la traite de sorcière justement. De démone. Un jour, la très vilaine sœur Marcelle du Saint-Sépulcre m'a entendue. Elle a eu un ricanement de corneille et m'a déclaré qu'on avait beaucoup de chance d'être folles à l'époque actuelle, parce qu'autrefois, on se serait contenté de nous brûler vives comme des hérétiques. Je déteste sœur Marcelle. Elle a l'âme sombre comme du charbon. Mais d'un certain côté, elle a raison. Je pense que je suis en train de devenir une vraie de vraie folle. Ça doit être à force de vivre au milieu de toute cette fureur et de tout ce bruit. J'en attrape des idées sans génie.

Voir si Emma est une sorcière... C'est seulement une pauvre fille à qui il est arrivé des malheurs infinis. Il suffit de la regarder dans les yeux pour prendre la mesure de son désarroi. Ils sont des abysses sans fond. Et ce vide obscur veut m'aspirer. Ce serait trop facile de faire comme sœur Marcelle et d'y voir seulement le mal, le reflet du geste abominable qu'Emma a posé durant un moment de grande détresse. Moi, j'y vois un immense désespoir. J'ai peur qu'un jour Emma ne puisse plus l'endurer et qu'elle se tue. Alors, je prends volontiers un peu de sa souffrance en moi. Je laisse mon amie déposer son fardeau dans mon cœur. Je le porte pour elle pendant quelques heures. Mais l'effet de ce mal sur mon âme m'effraie. Et si je me damnais ? Il faut que je parle au surintendant. C'est Emma qu'il cherche. C'est elle, la pomme pourrie qui gâche la belle œuvre qu'il mène ici. Le docteur Guillaume Morin désire sauver des malades, les soulager au moins, s'il ne peut pas faire mieux. Il ne veut pas héberger des criminels. Et Emma est une criminelle. Elle a tué son bébé. Il était sans défense et elle l'a abandonné dans la neige. Il est mort gelé. Emma n'est qu'un monstre au visage d'ange. Pour préserver sa réputation, elle a privé son enfant du salut éternel. Elle l'a condamné aux limbes. Elle mérite d'être punie. Et parce qu'elle m'a choisie comme confidente, je suis devenue sa complice. Maintenant, ses péchés font du vacarme dans ma tête…

Je n'arrive plus à dormir. De toute façon, je ne veux plus dormir. J'ai peur des cauchemars qui m'agrippent dès que je ferme les yeux. J'ai peur des tours que me joue la nuit. Peur des tours que me joue Emma. Je crache les pilules qu'on me donne le soir. Maudites pilules qui alimentent mes mauvais rêves. Je prie, je chante, je m'agite pour ne pas m'assoupir. J'espère des nuits blanches. Aussi blanches que mon prénom. J'y mets beaucoup d'énergie et de détermination. À force de fréquenter des folles, j'ai bien fini par apprendre quelques trucs utiles. Par malheur, vivre sans sommeil ne règle pas tout. Récemment, je me suis mise à redouter la pénombre. La nuit, ce n'est pas juste la lumière qui disparaît. On dirait que la noirceur jaillit du sol, des murs, telle une vase qui s'infiltre partout. Des fois, j'entends quasiment l'obscurité me parler. Et alors, je me dissous dans le noir. Je ne sens plus les limites de mon corps. Je ne connais rien de plus terrifiant. Je dois serrer mes poings très fort pour les sentir et retrouver ma substance. Je m'égratigne. Le sang coule. Il est doux et chaud. Si j'avais un couteau ou une aiguille, ce serait encore mieux, parce qu'il y aurait plus de sang. La douleur m'indique exactement où commence ma peau. La douleur et la chaleur du sang. Hélas, on me fouille systématiquement avant de m'enfermer en cellule. Je n'ai que mes ongles. Je fais avec. Je ne cède au sommeil qu'une fois mes forces épuisées, quand l'aube pâlit l'horizon.

Avec tout ça, on m'a transférée au quartier des «furieuses». Finies les sorties en ville. Perdue la petite liberté qu'il me restait encore. Mais je m'en moque. Au moins, ici, loin d'Emma, j'aurai la paix. Et puis, ça me permet de jouer mon rôle à fond.

Ah! la méchante Emma! Elle s'est arrangée pour être transférée, elle aussi. Elle continue de me parler la nuit. Elle m'empoisonne de ses secrets dont je ne veux plus rien savoir. Il est temps que ça cesse. Je veux qu'Emma me laisse en paix.

Je l'ai dit à sœur Clotilde venue me rendre visite ce matin. Elle a affiché ce sourire triste que je lui connais bien. Ce petit sourire plein de compassion qui me donne envie de la rassurer et de lui dire de ne pas s'en faire pour moi, que sous mes allures de cinglée, je suis en fait la petite amie du surintendant et que tout ce carnaval s'achèvera bientôt. Mais évidemment, je tais ces choses. Après m'avoir écoutée me plaindre d'Emma, sœur Clotilde du Sacré-Cœur m'a effleuré la joue avec douceur et m'a répondu qu'il m'appartenait de garder Emma à distance, mais que je gagnerais peut-être à la connaître vraiment. J'ignore ce qu'elle entend par là. Les sœurs ont parfois d'étranges façons de s'exprimer.

Maude déposa le manuscrit. Blanche n'allait pas bien du tout. C'était dur à lire… L'étudiante se sentait impuissante, comme devaient se sentir les religieuses et les aliénistes de l'époque. Que faire pour soulager une âme aussi tourmentée ? Si, au moins, Emma Tailleur avait cessé de harceler la pauvre Blanche ! D'ailleurs, à la suite de sa lecture, l'étudiante n'était pas certaine d'apprécier son aïeule. Pourquoi s'acharner sur Blanche ? Pourquoi la bouleverser avec des confidences malvenues ? Emma ne pouvait-elle se taire ?

Ça ne lui suffisait pas d'avoir tué son bébé en l'abandonnant lâchement dans la neige ?

Maude fronça les sourcils. *Si Emma Tailleur a tué son bébé, Adrien Vincent ne peut pas être son fils et comme il est assuré qu'Adrien est mon aïeul, à partir du moment où Emma n'est pas sa mère, plus aucun lien ne m'unit à elle. Ce serait presque un soulagement !* Mais aussi vite qu'elle lui était venue, cette idée s'évanouit. Au cours de ses recherches dans les archives des Sœurs de la Charité, Maude n'avait-elle pas lu qu'on croyait qu'Emma s'accusait *à tort* d'avoir tué son bébé ? Pour une raison qui échappait toujours à la doctorante, la jeune mère semblait avoir été persuadée d'avoir provoqué le décès de son enfant, alors qu'une religieuse veillant sur elle pensait le contraire. *La religieuse en question avait confié ses doutes à une amie, elle-même au service de la crèche de la Miséricorde, et une rencontre avait été organisée. Quels étaient les prénoms des sœurs impliquées dans cette histoire ? Zut, j'ai oublié !* Maude fouilla dans son cartable et en extirpa une liasse de notes. « Bingo ! » s'écria-t-elle en retrouvant, noir sur blanc, le prénom de sœur Clotilde du Sacré-Cœur, celle-là même dont Blanche Taylor parlait de temps en temps. Sœur Clotilde qui s'était certainement occupée d'Emma Tailleur aussi, puisque

Blanche et Emma étaient toutes deux confinées à la salle Sainte-Madeleine.

Maude aurait voulu plonger dans le cahier grossièrement assemblé pour parler à Emma. Lui dire qu'elle faisait fausse route. Que son bébé n'était pas mort dans la neige. Qu'il avait été recueilli, peut-être sauvé par miracle, mais sauvé quand même. Qu'elle devait se pardonner son geste désespéré, recommencer à vivre, cesser de hanter les nuits blanches de Blanche, ne plus l'empoisonner avec un crime imaginaire. Elle aurait voulu lui dire : « Regarde ! Je suis là ! La preuve vivante que tu n'as tué personne… Ressaisis-toi ! Ne te laisse pas mourir à petit feu… Épargne Blanche. Sois juste son amie… Elle en a tant besoin. »

Mais Maude ne possédait pas le pouvoir de changer l'histoire. Elle se contenta donc de reprendre sa lecture, curieuse de voir ce qu'il adviendrait de Blanche et d'Emma, prises au piège de la folie.

J'ai encore fait un cauchemar, cette nuit. Pire que tous les autres. Il avait l'air tellement réel qu'on aurait dit un souvenir plutôt qu'un mauvais rêve. Il faisait froid à pierre fendre. J'étais toute seule. Dans une étable, comme la Vierge Marie. J'accouchais. Il y avait du sang partout. Puis, j'emmaillotais mon bébé et je le jetais sur un banc de neige. Il pleurait, mais je faisais la sourde oreille. Je le laissais crier. Ce sont mes propres hurlements qui m'ont réveillée. C'est la faute à Emma. Elle m'a infectée avec ses abominations. Elle me confie des horreurs qui restent là, en suspension dans ma tête, et qui profitent de la nuit pour me torturer.

Je sais que le crime d'Emma n'est que l'aboutissement d'une série de malheurs, mais je n'arrive pas à le lui pardonner. Elle non plus d'ailleurs. Et c'est bien là son drame… Elle a été élevée à l'orphelinat. Puis, à treize ans, elle a été placée comme domestique chez un couple de bourgeois. Emma m'a raconté comment son premier patron a abusé d'elle. La nuit, il la rejoignait en cachette dans sa chambre de bonne. Il lui écartait les cuisses et la prenait de force. *Si tu parles, je te mets à la rue,* menaçait-il quand elle pleurait. La pauvre se sentait si sale. Au début, sa patronne ne se doutait de rien. Elle continuait de prendre soin d'Emma comme de l'enfant qu'elle n'avait jamais eue. Elle lui enseignait la lecture et l'écriture, lui faisait découvrir les romans d'Alexandre Dumas, l'emmenait au théâtre Jacques-Cartier et au cinéma Nickel voir des films muets. Pauvre petite Emma. Traitée comme une jeune fille chérie durant le jour et comme une débauchée durant la nuit. Jusqu'à ce qu'elle tombe enceinte et que la patronne se mette aussi à la traiter de débauchée. Madame Magnan s'est sentie trahie. Elle avait raison, bien sûr. Mais au lieu de voir son époux comme le sale traître en question, elle a préféré accuser Emma et la mettre à la porte. Sans références, évidemment. Il a fallu que mon amie dissimule son état pour se trouver une autre place.

Je peux comprendre que la malheureuse Emma ait été prise au piège et qu'il lui ait fallu accoucher en cachette. Mais de là à tuer son bébé! À le laisser geler sur un banc de neige! Quelques pas de plus et le nourrisson aurait été à l'abri, dans la crèche. La négligence d'Emma est impardonnable. Malgré tous mes efforts pour la soutenir, j'en arrive aux mêmes conclusions qu'elle: son châtiment doit être exemplaire. Je crois que je n'aurai pas le choix: il faudra que je la dénonce au surintendant.

Quand Emma me parle, je suis étonnée par la vivacité de ses souvenirs. Le contraste est si frappant avec ma propre mémoire. Marécageuse. Brumeuse. Déficiente. J'espère que l'effet des poisons dont on m'abrutit ne sera pas permanent. Ils m'ont rempli la tête de tiroirs verrouillés. Leurs clés sont des petits riens de tous les jours. Une odeur, un son, une expression, et voilà qu'une clé apparaît. Elle flotte un instant dans le brouillard de mon esprit, puis elle part comme une flèche et va se ficher dans une serrure. Un tiroir s'ouvre. Des images en débordent. Alors, j'ai l'impression de me souvenir de quelque chose. Mais dès le lendemain, j'ai de nouveau oublié. Et c'est probablement tant mieux, car ce que je vois dans ma tête me fait souvent mal au cœur.

Il y a de la tristesse et de la culpabilité dans les tiroirs de mon âme. Et tout un tas de sentiments poisseux et répugnants. En vérité, ce sont plus que des tiroirs. Ce sont des coffres blindés retenant à l'ombre ce que je ne peux pas tolérer. Ça lui prendrait quelque chose comme ça, à Emma. Elle arrêterait d'avoir mal tout le temps. D'un autre côté, comme je n'ai pas la même histoire tragique que mon amie, mes tiroirs deviennent un peu embêtants à la longue. Ils me privent de grands pans de ma vie. Peut-être devrais-je consigner dans ce journal le peu que je me rappelle au lieu de me contenter d'y noter les progrès de mon enquête ? Mais j'éprouve un drôle de frisson quand j'écris cela. Il y a peut-être des bouts de mon passé dont je n'ai pas envie de me souvenir. Peut-être même des moments affreux que j'ai d'excellentes raisons de vouloir oublier.

Sœur Clotilde ne serait pas d'accord avec ce que je viens de dire là. Elle passe son temps à essayer de me faire parler d'avant. Elle sait que j'écris. Elle m'y encourage même. Elle ne se doute pas de ce que je fais réellement. Elle pense que je transcris simplement mes réflexions quotidiennes. L'autre jour, elle m'a félicitée. Elle a dit que les fantômes qui nous hantent sont les souvenirs avec lesquels on n'a pas fait la paix et qu'à force d'écrire, j'allais mater mes fantômes. Je lui ai répondu qu'elle devrait raconter ça à Emma. Encore une fois, elle a eu son petit sourire triste.

Je suis plus calme. On m'a laissée revenir à la salle Sainte-Madeleine. Cela m'indiffère. Emma suivra le même trajet que moi. Je commence à la connaître. Elle ne me lâchera pas. Je voudrais ne l'avoir jamais rencontrée.

J'aurais dû rester fidèle à Bénédicte. Elle a beau être une dévoyée selon sœur Marcelle, une âme perdue, au moins elle ne tente pas de me fourrer des idées de malade dans la tête.

Aujourd'hui, à l'atelier de couture, j'ai fabriqué quelques-unes de mes poupées spéciales. Il n'y a que moi qui sais les faire. J'ai bien essayé d'enseigner ma technique à Bénédicte, mais ce fut la catastrophe. Cette fille n'a aucun talent pour les tâches ménagères en général et encore moins pour la couture. Des fois, je pense que ses parents ont raison: à force de lire des livres et d'étudier, elle s'est ramolli le cerveau. Il n'y a qu'à la voir se couper les doigts avec les ciseaux ou se piquer au sang avec les aiguilles pour comprendre qu'elle a quelque chose qui ne tourne pas rond. C'est un vrai garçon manqué. J'admets que mes poupées sont particulières et qu'il faut un certain talent pour les réussir. Reste que Bénédicte ne parvient pas à coudre un simple mouchoir. Pas même avec l'une de nos machines à coudre qui font de belles coutures toutes droites. Je le répète, cette fille est une catastrophe. Gentille, mais les mains pleines de pouces…

À première vue, mes poupées ressemblent à d'anodines poupées de chiffon. Mais il ne faut pas se fier aux apparences, elles sont loin d'être ordinaires. Je commence par assembler une minuscule poupée, pas plus grosse que mon poing. Je la niche au cœur d'une deuxième poupée plus volumineuse. Et ainsi de suite, et ainsi de suite, jusqu'à ce que j'obtienne une poupée de la taille qu'aurait un bébé. Elle a le même air que toutes les poupées, sauf qu'elle est pleine de secrets. Pour remonter jusqu'à la toute première, il faudrait découdre les autres une par une. Comme si on pelait un oignon. Juste la pensée de la déconstruire ainsi me fait pleurer. À la blague, je me dis que ce doit être l'idée de l'oignon qui me fait cet effet-là. Mais je sens qu'il y a, en réalité, un puissant mystère qui me serre les tripes et me fait monter les larmes aux yeux. Sœur Clotilde est toujours très intéressée par mes poupées. Je crois qu'elle les soupçonne de posséder une signification cachée. Pour qu'elle me fiche la paix, je prétends le contraire et je finis toujours par donner mes productions, ou par les vendre au marché, comme si elles étaient absolument banales.

Ce matin, j'en ai offert une à Fanny, une internée vieillie avant l'âge, à la peau fripée comme une pomme oubliée au fond d'un garde-manger pendant toute une année. Les rides de Fanny ne changent rien au fait qu'elle a moins de génie qu'une enfant de cinq ans. Et c'est avec ce cœur de petite fille qu'elle a reçu mon cadeau. Son ravissement était beau à voir. Elle était tellement contente qu'elle m'a collé aux jupes le reste de la journée. Pas grave. Elle est douce, Fanny. Toujours prête à rendre service. J'ai entendu dire qu'avant d'arriver à l'asile, elle vivait attachée dans un grenier. Ce ne serait pas la première à avoir subi un tel traitement. Il y a également la petite Anne-Marie, idiote de naissance, que ses parents ont gardée tant qu'ils vivaient à la campagne, mais dont ils ont voulu se débarrasser après leur déménagement en ville. Ils l'ont beaucoup battue avant de l'emmener ici pour qu'elle y reste. Elle ne comprenait pas qu'il fallait arrêter de crier tout le temps… Surtout la nuit. Ça dérangeait les voisins des autres logements. C'est triste de mettre un enfant au monde puis de le maltraiter. C'est même impardonnable.

En tout cas, moi, quand j'aurai des bébés avec Guillaume, ce ne sera pas pour les jeter sur un banc de neige ou pour les enfermer, même s'ils ont la *comprenure* en marmelade. Fanny est sûrement bien plus heureuse à Notre-Dame de la Pitié que dans son grenier. Les sœurs lui donnent de petites responsabilités, comme verser l'eau au dîner, ou arroser les fougères. Il faut la voir s'appliquer. Elle pointe la langue entre ses lèvres tant elle fait d'efforts de concentration. C'est touchant. J'espère que le surintendant va la laisser vivre ici à jamais. Parce que Fanny n'est pas démente, juste retardée. Et j'ai entendu dire qu'en principe, les idiots de naissance ne doivent pas demeurer à l'asile. Je suis assez d'accord pour faire la chasse aux criminels hypocrites jouant les malades, mais pas pour retourner à la misère de petites âmes toutes simples qui n'ont jamais fait de mal à personne. Elle est enfin bien, Fanny. Il me semble que ça devrait compter.

Il y a eu un grand pique-nique, hier. En l'honneur de l'assistant du docteur Morin qui part à la retraite. Les sœurs et les gardiens avaient dressé de longues tables entre le verger et le potager. Ils se sont donné du mal. Ils ont mis de belles nappes blanches. Parce que j'ai été plus paisible ces derniers jours, on m'a permis d'y participer. Comme les bals, ces divertissements sont en effet réservés aux malades qui se comportent bien. Eugénie n'y est jamais conviée, même si elle est calme. Il faut dire qu'à cause de sa peur d'être empoisonnée avec du sang pourri, elle crache tout ce qu'on lui propose de manger. Ça gâche un repas sur un moyen temps. Séraphine ne peut être là non plus. Elle ne tolère pas la proximité des autres. Elle dit qu'on la magnétise à distance et qu'elle a besoin d'un large périmètre de sécurité. Elle a beau nouer un bandeau autour de sa tête pour se couper des ondes, ça ne marche pas très bien. C'est un peu compliqué dans les fêtes. Victoria peut venir, si elle promet de ne pas chanter l'*Alléluia*. Même chose pour Marie-Rose, si elle s'engage à ne pas crier contre son dompteur de lions imaginaire. Et comme Bénédicte a encore essayé de fuguer la semaine passée, elle a dû rester dans la salle.

Hier, on a pris une photographie du pique-nique. On n'y verra que du feu. Tout aura l'air normal, ou à peu près, si on exclut les extravagances vestimentaires de zouaves comme Léonard avec son pantalon de pyjama et sa rose à la boutonnière, ou celles de Germaine qui, cette fois, avait décoré son chapeau de petits fruits volés dans le jardin. Heureusement, les photographies n'immortalisent pas les conversations. Si tant est qu'on puisse appeler conversations des dizaines de monologues tenus en parallèle…

Une fois qu'on a été servis, juste avant qu'on commence à manger, le père Joseph a récité le bénédicité. Il était dans un bon jour. À peine un raclement de gorge et un tout petit *sacrabouille de saint chrême* ! Trois fois rien. À la fin de la prière, Victoria a échappé un minuscule *Alléluia*. On a fait semblant de rien. Ç'aurait été triste de la priver de ce souper en plein air pour une si légère incartade. Fanny s'était assise à côté de moi et elle jouait à faire manger sa poupée, comme s'il s'agissait d'un vrai bébé. C'est un peu troublant de voir une vieille dame toute ratatinée avec des manières d'enfant. Léonard riait tout seul, fidèle à lui-même. Sauf qu'à un moment, Fanny a pris la mouche et lui a lancé son verre d'eau en plein visage. Elle devait penser qu'il se moquait d'elle. À ne pas faire. Fanny est extrêmement susceptible. Léonard n'a pas compris ce qui lui arrivait, mais il a arrêté de rire. Fanny a continué de nourrir son poupon de chiffon.

Pendant que j'essayais d'avaler ma crêpe qui ne passait pas malgré la tasse de sirop dans laquelle elle baignait, j'ai dû me taper le discours pompeux de Napoléon. J'ignore s'il s'agit vraiment de son prénom, ou s'il s'est baptisé ainsi lui-même pour la beauté de la chose.

— Savez-vous, *mademoisella,* que j'ai inventé *una machina* nourrie par l'énergie *di* soleil ? *Una machina* qui conduit *li mondo* ?

Puis, il s'est mis à me décrire en détail le fonctionnement de ladite machine. Je n'ai rien compris. Cet hurluberlu parle moitié français, moitié charabia. Il met des *o*, des *i* et des *a* à la fin de ses mots. Ça donne un effet assez joli, mais j'en perds mon latin.

Reste que c'était assez compréhensible pour le Colonel qui s'est mêlé de la partie. Je ne sais pas si j'ai déjà parlé du Colonel. Pendant quelques jours, je l'ai soupçonné d'être un faux malade. Il est ici parce qu'il a assassiné son associé. Une balle de révolver dans la tête. Il l'accusait de vouloir lui voler son invention. S'il n'avait pas été reconnu fou, il se balancerait au bout d'une corde. J'ai d'abord cru que c'était une bonne raison pour se prétendre détraqué. Ensuite, j'ai changé mon fusil d'épaule, car il est véritablement *brinzedingue*. Il a un grain, comme on dit. Il a sûrement un prénom et un nom de famille, comme tout le monde, sauf qu'il se fâche quand on les lui demande. Il s'appelle Colonel. Un point c'est tout. Bien malvenu celui qui ne s'adresse pas à lui correctement. Le Colonel pique alors des colères noires. Impossible de jouer la comédie à ce point. Ou bien c'est un acteur de la Comédie-Française. Bref, il a été fâché d'entendre Napoléon parler de sa belle machine. Il lui a dit qu'il pouvait aller se rhabiller, parce que lui, le Colonel, il avait inventé le Mouvement

Perpétuel. Il y mettait des majuscules tellement il était fier, ça s'entendait.

— Je vous présenterai bientôt cette Merveille, clamait-il. La Merveille du Siècle ! Elle marche sans eau, sans gaz, sans vapeur, sans électricité, sans aucune énergie! Elle génère un pouvoir infini et nous permettra de réaliser des économies incroyables !

— Pouah…, a protesté l'inventeur de la *machina* qui fait tourner *li mondo*. Le mouvement perpétuel. Une Chimère, rien de plus, cher colonel.

Monsieur Napoléon n'avait pas mis les majuscules au bon endroit, exprès… Ça aussi, ça s'entendait.

Le Colonel a vu rouge. Il a traité la *machina* de Napoléon de *machina diabolica* et son inventeur de suppôt de Satan. Napoléon a crié qu'un assassin de sang-froid n'avait pas de leçon à lui donner sur la question du bien et du mal. Le père Joseph a essayé de les ramener à plus de raison, mais à travers ses grimaces et ses jappements, on ne saisissait pas grand-chose à ses remontrances. Il a fallu l'intervention de trois gardiens et la menace de la camisole de force pour que les deux messieurs se calment un peu. Comme deux enfants boudeurs, ils se sont tournés le dos et ne se sont plus adressé la parole de la soirée.

Lorsque monsieur Napoléon et monsieur le Colonel ont eu fini de se disputer, mademoiselle Angéline a pris la relève. Dit comme ça, toute cette cacophonie a des allures de conversation organisée. C'est parce que je fais de mon mieux pour raconter une histoire qui se tient. Comme quand on relate un rêve. On met de la logique là où il n'y en a pas toujours. Pour donner une réelle idée du déroulement de ces rassemblements, je devrais transcrire sur des bouts de papier tous les propos de mes voisins de table, les découper en morceaux, les mélanger dans un sac, puis les retirer de là au hasard et les coller dans mon cahier. Tout serait pêle-mêle. On aurait un reflet plus juste de la chose.

Reste qu'Angéline était fascinante à écouter. Qu'un esprit humain puisse inventer de telles sornettes, et y croire, me dépasse. Elle affirme avoir des *entendements* au cerveau qu'elle appelle «du subconscient». On voit qu'elle était maîtresse d'école. Elle connaît des mots savants. Pourtant, ça ne l'empêche pas d'avoir une araignée dans le plafond. Parce que quand elle commence à expliquer qu'elle a deux subconscients, celui de sa tante religieuse et celui d'une maîtresse de musique, il faut que je me force pour ne pas éclater de rire. Franchement, elle ne s'entend pas pour dire des affaires sans-dessein de même. Et Simonne qui en rajoute avec sa fée Électricité qui lui traverse le corps et lui donne des frissons exquis. Elle n'a vraiment aucune gêne. Moi, avoir ce genre de *frissonnade,* je garderais ça pour moi. En tout cas, elle, je ne l'ai jamais suspectée d'être une fausse aliénée… Angéline non plus.

Heureusement, mon bien-aimé est venu à ma rescousse. Il m'a invitée à faire une promenade. J'avais le cœur qui jouait au papillon dans ma poitrine. Enfin, on pourrait bavarder tranquillement, juste nous deux ! Mais Fanny a décidé de venir avec nous. Depuis la poupée, elle ne me lâche plus. Après, sœur Clotilde du Sacré-Cœur l'a imitée et nous a emboîté le pas. On dirait qu'elle complote pour que le surintendant et moi ne soyons jamais seuls. Je l'aime bien d'habitude, sœur Clotilde du Sacré-Cœur, pourtant, hier soir, j'aurais voulu qu'elle s'efface. Bon joueur, le docteur Morin me souriait. Il me répétait qu'on partageait un merveilleux secret tous les deux et qu'il m'aimait de tout son cœur. Évidemment, avec tous ces témoins, il parlait en silence. Mais je l'entendais clairement dans ma tête. J'ai passé une très belle soirée. Je suis contente qu'Emma n'ait pas eu la permission de venir à la fête. Pour une rare fois, j'ai eu la paix.

Quand nous sommes parvenus près de la partie des terrains de l'asile où sont construites les demeures de plusieurs soignants, nous avons vu des éclairs rouges et une pluie verte éclabousser le ciel de lumière. Nous avons vite rebroussé chemin pour ne rien manquer du spectacle: les sœurs avaient organisé des feux d'artifice pour clôturer le divertissement. Ça ne faisait pas l'affaire d'Émile qui venait une fois de plus de repérer sa fameuse étoile des Rois mages. Avec l'incendie qui embrasait le ciel, le pauvre l'a complètement perdue de vue. Il l'entendait toujours, cependant. Je le voyais qui marmonnait des réponses, la tête en l'air. Des réponses à des questions et à des commandements qu'il est le seul à percevoir. J'ai pensé à Félix qui devait s'être blotti dans un coin, les mains plaquées contre les oreilles pour ne pas revivre en boucle l'écrasement du pont de Québec. Chaque explosion, colorée ou pas, est un calvaire pour lui. Pauvre Félix. Lorsque j'aurai trouvé le courage de dénoncer Emma, je demanderai une faveur à mon amoureux. Celle d'essayer de faire oublier cette tragédie à Félix. Elle est en train de lui gâcher la vie. Il y a des gens dont la mémoire fonctionne vraiment trop bien.

11

Maude tourna la page. Le papier avait de nouveau changé. Une page de journal, barbouillée. Puis une feuille lignée. Puis encore du papier imprimé, récupéré dans l'urgence. Certains passages étaient d'une écriture différente, avec des mots qui semblaient avoir été tracés en état de panique. Les lettres étaient plus grosses, le trait de crayon plus appuyé, la calligraphie moins soignée que dans la première partie du manuscrit. *Quelque chose de terrible s'est produit*, conclut Maude. Plus que jamais, l'étudiante se sentit comme une intruse à la curiosité malsaine. D'un geste sec, elle ferma le cahier.

De quel droit fouillait-elle ainsi dans l'âme d'une pauvre fille depuis longtemps décédée? Elle songea à ses propres journaux intimes d'adolescente, dissimulés dans un carton à chaussures, sous des piles de vieilles photographies. Comment se serait-elle sentie si un pur étranger s'était autorisé à les lire ? Violentée ? Saccagée ? Pillée ? D'un autre côté, n'était-ce pas honorer la mémoire de Blanche Taylor que de parcourir attentivement le récit qu'elle avait pris la peine de consigner ? Blanche n'était plus. Là où son esprit flottait dorénavant, il lui était probablement tout à fait égal qu'une jeune curieuse mette le nez dans ses confidences. Ou alors était-elle brièvement réchauffée par l'intérêt qu'une doctorante en histoire lui portait ? Maude fit un petit arrangement avec le destin : elle était tombée sur les notes de Blanche parce qu'elle cherchait à en apprendre plus sur sa *peut-être aïeule*, Emma Tailleur. Si le nom d'Emma apparaissait dans les dix premières lignes de la prochaine page qu'elle lirait, cela signifierait que la rédactrice d'un autre âge l'autorisait à poursuivre sa lecture. Sinon, cela voudrait plutôt dire que le manuscrit était trop personnel et n'avait rien à voir avec les enquêtes familiales d'une Maude Vincent assoiffée d'histoire. Elle devrait mettre de côté le cahier pour ne plus jamais l'ouvrir. Maude ferma les yeux quelques secondes puis les rouvrit en même temps que le journal de Blanche.

Dès le premier mot de la première ligne, la doctorante eut la réponse qu'elle espérait. Elle remercia silencieusement Blanche Taylor de sa confiance, se blottit confortablement dans son gros fauteuil de vieux velours tout doux et tout moelleux, flatta le cou de Platon, puis recommença à lire.

Emma me torture. Elle m'a encore fait passer une nuit infernale. À croire qu'elle ne dort jamais… Elle n'arrête pas de me chuchoter des atrocités. Elle en rajoute, même. Sa plus récente entreprise? Me convaincre que j'ai, moi aussi, un crime affreux sur la conscience, d'où le lien mystérieux qui nous unit. Elle prétend également que ce crime oublié explique mes pertes de mémoire. D'après Emma, le passé m'échappe parce que quelque chose en moi ne veut pas se rappeler. On croirait entendre sœur Clotilde du Sacré-Cœur ou le docteur Morin! Mais pour qui se prend-elle, cette tueuse d'enfant?

Cette nuit, je n'en pouvais plus. J'ai bondi de mon lit et j'ai couru vers la salle de bain. Je voulais me voir dans un miroir. Pour regarder au fond des mes propres yeux et y découvrir enfin le fond de mon âme. Une âme de criminelle, ça doit bien se remarquer, non? Ça doit donner un air tordu ou quelque chose du genre, pas vrai? Même là, Emma a refusé de me laisser en paix. J'étais furieuse. J'ai commencé à la frapper au visage. Si fort que je lui ai cassé les os. Elle est tombée sur le sol, en morceaux. Sa figure était craquée de partout. Je suis tombée, moi aussi, à genoux parmi les éclats de miroir. Il y avait du sang. Beaucoup de sang. J'ai cru que je l'avais tuée, mais son visage fracassé me regardait du plancher. J'ai paniqué. Mon Dieu ! Qu'est-ce que j'avais fait ? J'ai essayé de recoller les morceaux, mais il y en avait trop. Je me suis entaillé les mains. Et tout ce rouge poisseux qui m'empêchait de voir ce que je faisais… J'ai crié à l'aide. La gardienne de nuit est arrivée. Elle a appelé au secours, elle aussi. Puis elle a ramassé ce qui restait d'Emma pendant que je me recroquevillais dans un coin, sous un lavabo. Un autre gardien est enfin arrivé. Il a lavé mes mains et les a enveloppées dans des pansements. On m'a emmenée en chambre d'isolement. On m'a fait avaler un cachet amer et on m'a attachée sur un lit pour que je ne recommence pas à m'agiter. J'ai dormi d'un faux sommeil plein de cauchemars. Des miroirs tourbillonnaient autour de moi, comme des flocons de neige géants, monstrueux, meurtriers. Ils m'attaquaient en me projetant de longues flèches de verre coupant. Ils visaient mes yeux.

Tout à l'heure, le docteur Morin est venu me voir. J'étais encore dans la cellule de réclusion, retenue au matelas par des sangles de cuir, la bouche pâteuse, les mains endolories.

— Tu t'es de nouveau blessée, a-t-il constaté. Il est temps que cela cesse. Tu n'as pas à souffrir ainsi. Je vais t'aider.

M'aider ? Que voulait-il dire ? C'était plutôt moi qui lui venais en aide depuis le début en accomplissant la mission dont il m'avait chargée... Ses paroles m'ont beaucoup étonnée. Puis, j'ai tourné la tête et j'ai vu sœur Clotilde dans l'embrasure de la porte. Elle nous écoutait. Tout est devenu clair. Contrairement à moi, mon bien-aimé gardait la tête froide. Il avait de la peine pour moi et aurait voulu me témoigner son amour, ça se voyait, mais il ne se laissait pas emporter par ses sentiments. Surtout pas devant un membre du personnel. Oh que non... Il jouait à la perfection son rôle de médecin attentif. Par son calme, il me demandait d'agir comme lui. La pièce de théâtre n'était pas finie. Le spectacle devait continuer. Pour encore un moment, je devais accepter d'endosser l'uniforme de la lunatique. Malgré ce qu'il m'en coûtait.

J'ai examiné mon tendre visiteur attentivement. Comme toujours, il était très chic avec son veston, son pantalon au pli parfait et sa chemise amidonnée dont il paraissait avoir tout juste changé le col et les manchettes. Ils étaient immaculés, aussi blancs et purs que mon prénom. J'aimais l'idée que Guillaume se soit fait beau en sachant que nous nous verrions. J'étais flattée. Il me scrutait lui aussi. Sa bouche dissimulait mal son sourire sous sa belle moustache bien lissée et ses prunelles pétillaient derrière ses lunettes. Il me disait silencieusement que j'étais tout pour lui. Qu'il savait quelles épreuves je traversais pour son bénéfice et qu'il m'en était infiniment reconnaissant.

— Nous allons refaire une séance d'hypnose, m'a-t-il annoncé. Mais contrairement à la première fois, je te demanderai de te souvenir de tout ce dont nous aurons parlé. Il est vraiment temps que cela cesse, répéta-t-il en examinant tristement mes mains dont les bandages étaient tachés de sang.

Encore une séance ? Ne m'étais-je pas suffisamment ridiculisée lors de la première, quelques semaines après mon arrivée à l'asile ? Je me suis rappelé comment les sœurs s'étaient mises à me dévisager par la suite. Comme si elles me voyaient pour la première fois et que j'avais dit des monstruosités. Des monstruosités dont personne n'avait jamais voulu me révéler la nature, ce qui me laissait imaginer n'importe quoi. J'avais détesté cette sensation de ne pas connaître la vérité sur moi-même alors que les autres savaient. Je n'avais pas vraiment envie de répéter l'expérience. Même si, cette fois, mon bien-aimé me promettait que je me souviendrais de tout. Jouer la folle n'était déjà pas de tout repos. Alors, me mettre à dire des imbécilités en dormant... Mais si Guillaume pensait qu'on devait passer par là, il avait sûrement ses raisons. J'ai donc acquiescé de la tête.

— Vous êtes certain que c'est la bonne chose à faire ? est intervenue timidement sœur Clotilde du Sacré-Cœur.

Mon bien-aimé l'a fusillée du regard. Je n'aurais pas voulu être celle que Guillaume observait ainsi.

— Vous avez une meilleure idée ? a-t-il répliqué sèchement.

J'étais persuadée que la religieuse allait se confondre en excuses et se rétracter. Au contraire, elle a insisté :

— En effet.

Guillaume a semblé stupéfait. Évidemment, il connaît le caractère résolu et bien trempé de la mère supérieure, mais je crois qu'il ne s'attendait pas vraiment à ce qu'une sœur subalterne ose exprimer une opinion différente de la sienne et encore moins proposer un traitement.

— Expliquez-moi donc votre solution de rechange, ma sœur, a-t-il déclaré en croisant les bras.

Sœur Clotilde l'a étonné derechef.

— Pas ici. Notre malade doit se reposer, a-t-elle affirmé en remontant le drap jusque sous mon menton et en me bordant. Allons parler ailleurs.

Guillaume Morin a froncé les sourcils.

— Bien, ma sœur. Je vous suis.

Ils sont sortis et m'ont laissée seule avec mes doutes. Qu'est-ce que sœur Clotilde manigançait? Je n'ai pas vraiment eu le temps d'y réfléchir. Les médicaments dont on m'avait gavée quelques heures plus tôt circulaient toujours dans mes veines. Je me suis rendormie.

— Réveille-toi. Tu as de la visite, a fait sœur Clotilde en me serrant délicatement l'épaule.

Le soleil avait baissé. Je le voyais à travers les grillages, par la fenêtre de l'autre côté du corridor. J'avais dû dormir un bon moment. J'ai voulu m'asseoir, mais j'étais toujours attachée.

— On peut lui enlever ça? a demandé la religieuse au docteur Morin qui l'accompagnait de nouveau.

Deux visites de Guillaume dans la même journée! C'était plus de preuves de son amour indéfectible que j'en avais besoin.

— Bien sûr, a-t-il dit de sa voix de velours.

Je ne sais pas si je l'ai déjà mentionné, mais j'adore la voix de mon bien-aimé. Elle est douce, apaisante, comme du sirop chaud et sucré. Par comparaison, la mienne n'en paraît que plus rocailleuse. On dirait toujours que je suis enrouée. Je déteste m'entendre.

Une fois mes liens détachés, je me suis redressée dans mon lit. J'ai alors remarqué une deuxième religieuse. Une inconnue de l'âge de sœur Clotilde du Sacré-Cœur.

— Je te présente sœur Aurélie de Grâces, a dit sœur Clotilde. Une amie. Elle est de la même communauté que moi, mais elle travaille à l'hospice des Saints-Anges.

Sous le coup de je ne sais quelle émotion, ma gorge s'est nouée. J'ai été incapable de saluer la nouvelle venue. J'ai dû me contenter de lui adresser un hochement de tête.

— Tu connais l'hospice des Saints-Anges, n'est-ce pas? m'a interrogée sœur Aurélie.

J'ai fait signe que oui. Tous les habitants de Québec connaissent cet endroit. Un lieu où les filles tombées abandonnent leur bébé.

Puis la visiteuse m'a raconté une histoire bizarre qui n'avait aucun rapport avec moi. Comme quoi un nouveau-né avait été déposé à la crèche des Saints-Anges pendant la nuit du vingt-deux janvier mille neuf cent huit. Avec un message fixé sur la poitrine au moyen d'une épingle à chapeau. Un message demandant qu'on s'occupe bien de lui. Le bébé avait un biscuit à la main. Comme si sa maman avait voulu s'assurer qu'il ait de quoi manger, d'une certaine manière. Un passant avait découvert le poupon abandonné sur un banc de neige, dans une boîte à chaussures. Semble-t-il qu'il s'en était fallu de peu pour que le bébé ne meure de froid. Heureusement, le bon Samaritain avait lui-même porté le tout-petit à la crèche. Depuis, l'enfant allait bien. Ce n'étaient pas trois orteils de moins qui allaient lui gâcher l'existence, n'est-ce pas ?

Sœur Aurélie de Grâces a ponctué son récit de plusieurs pauses. Durant celles-ci, elle me fixait avec intensité, puis elle échangeait des regards avec sœur Clotilde ou Guillaume. Elle avait l'air de chercher une sorte d'encouragement de ma part à continuer. Or, je ne comprenais pas du tout où elle voulait en venir. Je ne lui étais donc d'aucun secours. Toutefois, le docteur Morin et sœur Clotilde devaient lui faire les signes appropriés, puisqu'elle s'est rendue au bout de son monologue.

— Tu comprends, m'a-t-elle confié, la maman de ce bébé n'a aucun moyen de savoir qu'il est vivant. Elle pense probablement qu'il est mort de froid. Par sa faute. Tu imagines un peu comme elle doit se sentir coupable ?

Il y a eu une tempête dans ma tête. Sœur Aurélie ne s'en est pas aperçue. On aurait dit que j'étais devenue une de ces poupées que je fabrique à l'atelier de couture. Une poupée russe, comme les appelle sœur Clotilde. Des poupées multiples, imbriquées les unes dans les autres. Les mots de la visiteuse se fichaient comme des poignards dans le cœur de la plus petite poupée, celle qui était tout au centre, la plus éloignée de la surface. Ils lui faisaient mal. Je sentais ses sanglots traverser les couches de chiffon qui nous séparaient. C'était déroutant. Effrayant. Il ne fallait pas que je bouge d'un poil. Sinon, tout allait s'écrouler. Je me noierais dans les larmes de la pleureuse. Le chaos m'avalerait.

J'ai arrêté de respirer.

Sœur Aurélie de Grâces en a profité pour tirer un objet de sa poche. Il était emballé dans un mouchoir. Comme un cadavre minuscule dans son linceul. Comme la plus petite des plus petites poupées. J'ai pensé stupidement que même un bébé naissant ne pouvait être aussi menu. Mais j'ai eu peur quand même. Tout doucement, elle a extirpé la chose du carré de tissu, l'a déposée dans sa main et m'a présenté sa paume tendue. C'était une épingle à chapeau. En argent, avec une tête violette. *De l'améthyste,* ai-je pensé avant d'être emportée par une vague de désespoir incompréhensible. J'étais en train de me transformer en poupée de chiffon gémissante. Au prix d'un suprême effort, j'ai réussi à me contenir. Je n'allais pas pleurer sur une histoire qui ne me concernait pas.

— Emma... Ton bébé est vivant. Il faut que tu arrêtes de broyer du noir comme tu le fais depuis des mois. Il a souffert d'engelures, mais il est bien vivant. Tu dois te pardonner comme Notre-Seigneur Jésus-Christ lui-même l'a sûrement déjà fait.

Pourquoi cette femme parlait-elle à Emma ?

J'aurais voulu lui dire qu'elle faisait erreur sur la personne. Que je m'appelais Blanche Taylor. Pas Emma Tailleur. Mais les mots sont restés bloqués dans ma gorge. Foutue Emma qui ne m'accorde jamais un instant de répit. Même quand des gens se déplacent pour moi, il faut qu'elle s'en mêle et qu'elle attire l'attention sur elle. Sœur Aurélie a esquissé une moue déçue. Manifestement, je ne réagissais pas à son récit comme elle l'aurait souhaité. Elle a pivoté vers le surintendant et vers sœur Clotilde. Je les ai vus qui haussaient les épaules en affichant une mine navrée, eux aussi.

— Tu ne veux pas savoir comment on a nommé ton bébé? a insisté sœur Aurélie.

Elle a pris mon silence pour un acquiescement. La réalité, c'est qu'elle me parlait du bébé d'une autre. Son nom m'importait peu.

— Il s'appelle Adrien Vincent. Adrien, en l'honneur du patron des messagers, à cause du billet épinglé sur sa poitrine. Vincent, parce qu'il nous a été confié le jour de la Saint-Vincent. Il a sept mois. C'est un beau bébé. Costaud. Rieur. En bonne santé.

Maude faillit tomber en bas de sa chaise. Le nom de son arrière-grand-père était là, noir sur blanc. Elle avait raison depuis le début! Ses recherches avaient porté leurs fruits! Emma Tailleur était bien son aïeule. Son arrière-arrière-grand-mère. Mais au-delà de cette confirmation, le récit de Blanche laissait planer une possibilité effarante. Celle-ci avait beau nier, dire qu'il y avait erreur sur la personne, trop de détails pointaient dans la même direction: et si sœur Aurélie et sœur Clotilde avaient eu raison? Si Emma et Blanche n'avaient été que les deux faces d'une même femme? L'excitation de Maude atteignit des sommets. Les mains tremblantes, elle reprit sa lecture. Elle relut la dernière phrase, puis elle poursuivit. Il était tard. Le soleil était couché depuis longtemps. Elle n'avait pas soupé. Elle se souciait de tout cela comme d'une guigne. Le manuscrit était plus important que tout.

« Il s'appelle Adrien Vincent. Adrien, en l'honneur du patron des messagers, à cause du billet épinglé sur sa poitrine. Vincent, parce qu'il nous a été confié le jour de la Saint-Vincent. Il a sept mois. C'est un beau bébé. Costaud. Rieur. En bonne santé. »

Si la pauvre pensait m'émouvoir, elle a dû être fort désappointée. J'ai senti une muraille s'ériger autour de moi. Une forteresse de grosses pierres grises et de mortier, garnie de tessons de verre tranchants. Rien ne pouvait m'atteindre. La tempête a été repoussée au loin. Les poupées russes ont disparu. Fini le chiffon. J'étais aussi solide qu'une brique. Et les mots de sœur Aurélie rebondissaient sur les parois de mes fortifications. Je n'ai pas bronché.

Enfin, la religieuse a abandonné la partie. La mine fripée de contrariété, elle a enroulé l'épingle à chapeau à tête d'améthyste dans son petit mouchoir blanc et l'a remise dans sa poche. L'attaque était terminée. J'ai senti les murailles qui m'encerclaient reculer de quelques pieds. J'ai poussé un long soupir.

— Repose-toi, m'a conseillé Guillaume avant de s'en aller. Demain, on en finira avec cette histoire. La séance d'hypnose te sortira de là. Il faudra que tu sois courageuse. Mais j'ai confiance en toi. Tu es très brave. Tu y arriveras.

Il est sorti, me laissant aux soins des religieuses. Ses mots m'ont remplie de bonheur.

— Vous voyez comme il m'aime? n'ai-je pu m'empêcher de déclarer à sœur Clotilde avant qu'elle franchisse la porte à son tour.

— Bien sûr qu'il t'aime, a-t-elle fait en se tournant vers moi. Comme il aime tous ses autres malades. Le docteur Morin est un homme bon. Il croit qu'en chaque personne subsiste une parcelle de raison. Il espère sincèrement pouvoir t'aider.

— Vous ne comprenez pas, sœur Clotilde! me suis-je exclamée, incapable de me retenir plus longtemps. Guillaume ne n'aime pas comme ses autres malades! Il m'aime tout court! Nous sommes pratiquement fiancés!

Sœur Clotilde a arrondi les yeux de surprise.

— Emma ! Ne dis pas de telles bêtises ! Allons… Le surintendant n'est pas ton amoureux.

— Qu'est-ce que vous avez tous aujourd'hui à m'appeler Emma ? ai-je protesté.

Pour toute réponse, sœur Clotilde a secoué la tête. Je ne lui en ai pas voulu de ne pas comprendre. C'était mon erreur d'avoir trop parlé. J'ai vu ça comme une autre épreuve envoyée par mon bien-aimé. Il veut savoir que je l'aime envers et contre tous. Je suis certaine que sœur Clotilde du Sacré-Cœur va lui rapporter notre conversation. Il verra à quel point mon attachement est solide. Comment je tiens bon malgré les vents contraires. Il a dit qu'il me trouve courageuse. Il en sera encore plus persuadé. Il sera fier de moi. Je suis si pleine d'amour pour lui que ça me fait oublier les révélations insolites de sœur Aurélie. Franchement, j'ignore quoi penser à ce sujet. Pour mon plus grand bonheur, ça s'est mis naturellement de côté. Dans un tiroir probablement. Ça ne fait qu'une clé flottante de plus.

Maude resta complètement immobile pendant une longue minute, prise de vertige. Elle avait l'impression que la terre ferme sur laquelle elle croyait se tenir n'était en fait qu'un tapis posé sur du vide. Le moindre geste un peu brusque risquait de la faire tomber dans un précipice sans fond. Elle avait commencé à lire le journal de Blanche en croyant avoir affaire à une espèce de rapport d'enquête. En peu de temps, elle s'était rendu compte que, malgré toutes ses dénégations, la narratrice souffrait assurément d'une vraie maladie mentale. Et voilà que Maude apprenait que les deux héroïnes dont elle avait suivi les péripéties étaient en réalité une seule et même personne. Du moins, quoi qu'en dise Blanche, c'était ce que Maude comprenait à travers les lignes. Que de revirements ! Le surintendant Morin et sœur Clotilde du Sacré-Cœur savaient apparemment quelque chose d'important qui ne se trouvait pas dans le manuscrit de Blanche. Quelque chose qu'ils avaient choisi de garder pour eux jusque-là. S'agissait-il de révélations faites par celle-ci lors de sa première séance d'hypnose ? Révélations qu'elle aurait ensuite oubliées ? C'était frustrant de n'avoir accès qu'au journal de Blanche. Tout y était raconté de son point de vue. Comme Maude aurait aimé disposer d'un dossier clinique… Elle aurait pu y lire ce que les soignants pensaient de la situation. Et puis qu'est-ce que c'était que cette histoire d'hypnose ? *Est-ce une technique avec des fondements scientifiques, ou une fumisterie destinée à des hystériques impression-nables?* Avant d'aller plus loin, elle décida de trancher la question. Qui de mieux qu'une vraie de vraie psychiatre pour l'aider dans cette tâche.

12

— **J**'espère que je n'appelle pas trop tard ? s'enquit Maude lorsque Béatrice décrocha le combiné.

— Pas du tout. On se prépare une petite tisane avant de continuer à regarder notre film. Tu veux parler à Émilie ?

— Non, c'est à toi que je veux poser quelques questions. Ça ne te dérange pas trop ?

— Jamais de la vie ! C'est en lien avec le manuscrit dont tu nous as parlé ce matin ?

— Oui. J'en suis à un passage où l'auteure parle d'hypnose. Tu veux bien me renseigner un peu sur le sujet ? Ça fonctionne vraiment ou c'est complètement bidon ?

— Ça fonctionne, même si ce n'est pas très utilisé de nos jours. Et ça n'a rien de bidon.

— Ce n'est plus très utilisé, mais ça l'a déjà été ?

— C'était très à la mode à la fin du dix-neuvième siècle. Et même un peu au début du vingtième.

— Ça te paraît plausible qu'un psychiatre canadien de mille neuf cent huit ait eu recours à cette méthode?

— Assez plausible, oui. Surtout s'il s'agissait d'un psychiatre canadien-français.

— Pourquoi donc?

— À cette époque, plusieurs médecins québécois allaient compléter leur formation d'aliénistes en France, à Paris surtout. Question de langue, bien sûr. À l'hôpital Sainte-Anne et à la Salpêtrière, l'hypnose était alors très en vogue. Nos aliénistes en apprenaient les rudiments avant de revenir pratiquer ici. Donc, oui, qu'un psychiatre de mille neuf cent huit ait utilisé l'hypnose, c'est très plausible.

— Comment ça fonctionne?

— Écoute, Maude, je ne suis pas une spécialiste. Ne s'improvise pas hypnotiseur qui veut. Il faut suivre des cours, être supervisé. C'est sérieux. On entre dans la tête des gens. Il ne faut pas se conduire comme des éléphants dans un magasin de porcelaine.

L'image était saisissante.

— C'est si puissant que ça? demanda Maude.

— Chez les personnes susceptibles d'être hypnotisées, oui, c'est très puissant. Le thérapeute induit un état de conscience modifié. C'est un état de transe dans lequel les défenses habituelles du sujet sont altérées. Ce qui est refoulé devient accessible à la conscience. Des traumatismes enfouis remontent à la surface. La personne a soudainement accès à des souvenirs très détaillés et très précis d'événements qu'elle ne se rappelle pas du tout ou très peu habituellement.

— Des vrais souvenirs ?

— Oh que oui, très vrais. Mais gardés inconscients.

— Et ça dure combien de temps ?

— Quoi ? La transe ?

— Euh, oui… Non. Les souvenirs, je veux dire. Une fois que la personne hypnotisée a retrouvé des souvenirs oubliés, elle s'en souvient pour toujours ?

— Ça dépend des instructions du thérapeute. Il peut lui demander de les garder en mémoire, une fois la séance terminée. Ou alors, il peut lui suggérer de les oublier de nouveau.

— Et pour quelle raison un hypnotiseur demanderait-il à quelqu'un d'oublier ce que la séance lui a permis de découvrir ?

— Parfois, les gens ont d'excellentes raisons de ne pas se souvenir, Maude. Il existe des traumatismes épouvantables presque impossibles à digérer. Notre esprit fait ce qu'il peut pour nous protéger. Il enfouit ces souvenirs aussi creux que possible. Ce n'est pas une décision consciente, comprends-moi bien. On ne se lève pas un matin en se disant : « Je vais oublier telle ou telle chose. C'est trop horrible. » Un oubli de ce type se fait à notre insu. C'est inconscient. Ça fonctionne tellement bien qu'on ne se rend même pas compte qu'on a oublié quoi que ce soit ! Et même si une séance d'hypnose permet de révéler les souvenirs inconscients, rien n'est réglé pour autant. Il faut que le sujet acquière des moyens nouveaux de composer avec eux. Il ne les avait pas oubliés pour rien…

— Si je te suis bien, une personne peut tout dire sous hypnose, mais ne se souvenir de rien ensuite, alors que son thérapeute sait maintenant ce qui la rend malade ?

— Exactement.

— Mais alors, à quoi ça sert ? Qu'est-ce que ça lui donne, au thérapeute, de savoir le fin mot de l'histoire s'il ne peut pas l'utiliser ? Pourquoi ne pas se contenter de laisser la personne oublier ce qu'elle ne peut pas regarder en face ?

— Ce genre d'« oubli » est habituellement lourd de conséquences, Maude. La personne peut ne pas avoir accès à des pans entiers de sa vie. Elle est pleine de trous… Ce n'est pas drôle du tout.

— Je vois… Sauf que ça ne répond pas à mon autre question : qu'est-ce que le thérapeute peut faire de ce que la personne lui a confié sous hypnose?

— Il s'en sert pour mieux guider son patient, l'aider à récupérer graduellement la mémoire. Le tout en douceur, sans trop ébranler et par le fait même renforcer les défenses du malade. Avec le temps, ce dernier finira par découvrir la vérité par lui-même et sera capable de faire la paix avec elle tout en retrouvant une certaine plénitude.

— Ça ressemble à de la magie.

— C'est vrai. C'est effectivement très impressionnant. Il y a d'ailleurs eu certains débordements qui ont nui à la respectabilité de cette technique. Des individus peu scrupuleux s'en sont servis pour donner des spectacles.

— Des spectacles?

Béatrice gloussa.

— Eh oui… Sous hypnose, on peut faire faire toutes sortes de choses à des gens. Imagine une dame bien sérieuse, un peu pincée même, que l'on fait grimper sur scène et à qui on dit qu'elle est un chien. Elle va se mettre à japper et à marcher à quatre pattes.

— Tu me charries, là!

— Pas du tout! Une personne hypnotisable, c'est-à-dire sensible à la suggestion, obéira et fera ce qu'on lui demande. Tant qu'on ne va pas trop loin. Les gens hypnotisés

conservent quand même une certaine mora-
lité. On ne peut pas transformer une bonne
personne en assassin !

— Tu me rassures. Mais reste que c'est
impressionnant…

— C'est pas mal fort, en effet. Il est
important que le thérapeute soit compétent
et respectueux. Cette technique peut causer
des dommages bien réels.

— Comme ?

— Pendant mon cours de psychiatrie, j'ai
entendu une histoire. Je ne sais pas si elle
est vraie. J'ai tendance à penser que oui.
C'est celle d'une jeune fille qui s'est présentée
à l'urgence de l'hôpital avec le bras gauche
paralysé. Le médecin responsable s'est vite
rendu compte que cette paralysie ne s'expli-
quait pas sur le plan neurologique. Il en a
conclu qu'il s'agissait d'une paralysie hystérique. Il a appelé le psychiatre de garde qui
venait d'entamer une formation en hypnose.
Ce dernier n'a pas pu résister. Il a pris l'adolescente pour cobaye et a effectivement
constaté que, sous hypnose, elle pouvait très
bien bouger son bras. Il ne s'agissait donc
pas d'une paralysie neurologique, mais d'une
paralysie d'origine psychologique. Cependant,
en amateur, le psychiatre n'a pas cherché
plus loin. Il ne s'est pas demandé *pourquoi*
sa patiente avait besoin d'immobiliser son

bras. Aussi, pendant qu'elle était encore sous hypnose, il lui a suggéré qu'elle récupérerait l'usage complet de son membre une fois réveillée. Et, comme de fait, une fois la transe terminée, l'adolescente n'était plus paralysée.

— Wow! C'est magique!

— Magique? Attends la suite… Tu verras que ce n'est pas si génial que ça. De retour chez elle, la jeune fille, gauchère, a poignardé sa mère et l'a tuée.

— Merde…

— Oui, mille fois merde… C'est bien ce qu'a dû penser l'apprenti hypnotiseur en apprenant la tragédie… En ne cherchant pas à comprendre la cause profonde de la paralysie de sa patiente, il l'a privée du seul moyen qu'elle avait inconsciemment trouvé de ne pas agresser sa mère qu'elle détestait. Il aurait pu tout aussi bien lui donner un révolver chargé…

— Ça fait peur.

— Heureusement, de telles histoires d'horreur sont l'exception. La plupart du temps, cette technique est salutaire. Et donc, on parle d'hypnose dans le journal de Blanche?

Maude lui résuma ce qu'elle avait lu jusque-là.

— Tu te rends compte, Béatrice, que tout ça a commencé par un petit bébé arrivé à la crèche avec un message fixé sur ses vêtements ? Au moyen d'une épingle à chapeau... Et me voilà, cent ans plus tard, à lire le journal de sa mère. C'est quand même fou...

Béatrice acquiesça et répéta qu'elle voulait absolument se pencher sur ce document unique, elle aussi.

— On partira de Beaumont demain matin vers neuf heures. On ira chez les antiquaires du Vieux-Port, puis on te rejoindra chez toi. On dînera quelque part dans ton quartier. Ça te convient ?

— Super chouette ! Je vous attends.

— Tu veux dire un mot à ta mère ?

— Non. Pas le temps. Embrasse-la pour moi et dis-lui que j'ai hâte de la voir.

— Ma parole, ce manuscrit t'a vraiment accrochée !

— Complètement... Bisous, Béatrice, et à demain !

Le téléphone à peine mis hors fonction, Maude reprit le cahier grossièrement assemblé. Blanche avait souvent affirmé avoir été transformée pour toujours par les mots d'Emma. Un siècle plus tard, il en serait de même pour la doctorante. Ainsi, quand Maude reposa enfin le manuscrit, des larmes roulèrent sur ses joues. Envahie par une tristesse infinie, elle ferma lentement le journal de la jeune

Blanche, comme pour y emprisonner à jamais le secret d'une immense folie née d'une déchirure insoutenable.

Ce matin, sœur Marcelle du Saint-Sépulcre m'a fait prendre un bain. Elle était encore plus brusque que d'habitude. Elle me parlait de la séance d'hypnose à venir. Toutes les religieuses étaient donc au courant ? Elle avait un sourire que je n'ai pas aimé en abordant le sujet. Le sourire de quelqu'un qui sait des choses que son interlocuteur ignore. Et qui en jouit. Espèce de maudite écornifleuse. J'espère qu'un jour elle brûlera en enfer. J'ai mis les vêtements que sœur Clotilde avait préparés pour moi. Ils sentaient un peu les boules à mites. Elle avait dû les choisir dans la réserve. Je ne me souviens pas de l'avoir déjà dit, mais ici, à l'asile, on ne porte pas ses propres habits. On met ce qu'on nous prête. Des vêtements donnés par des gens charitables. Des tenues qu'on n'a pas choisies. Ainsi, on s'efface dans la masse.

On vient me chercher. Je ne veux pas y aller. Je suis terrifiée par cette séance à venir. J'ai un mauvais pressentiment. Si je le pouvais, je me sauverais. Ou je me soûlerais. Comme cette poivrote de Léonie qui vend les œufs du poulailler pour s'acheter du whisky en cachette et qui boit les bouteilles au goulot jusqu'à plus soif. Je ne dirais pas non à un peu d'oubli. Pas le temps de fuir ni de m'enivrer. Ni de demander de l'aide au Colonel qui écrit des lettres au gouverneur général pour aider les malades injustement internés à quitter l'asile. Ils sont à ma porte. Je ne peux plus m'échapper. Je glisse mon journal sous mon matelas.

Les pages suivantes étaient froissées. À certains endroits, l'encre s'était répandue en larges taches pâlottes, brouillant les lettres. Blanche avait pleuré en écrivant ces lignes. Maude se sentit ravagée par ce désarroi venu du fond du temps. Elle aurait voulu arrêter de lire et tout oublier. Mais le vin était tiré. Il fallait le boire…

Quand Bénédicte m'a vue passer, elle m'a fait un petit signe d'encouragement. J'avais l'impression de m'en aller à l'échafaud. Je n'avais pas tort. Sauf qu'on ne m'a pas coupé la tête. Pour mon plus grand malheur, on me l'a laissée, bien vissée sur mes épaules. Si seulement je pouvais l'arracher et la lancer aux ordures.

Me voilà toute déconstruite. Tout ce que mon pauvre esprit malade avait inventé pour protéger mon cœur de la douleur, tout s'est fracassé. Je sais maintenant. Je ne peux plus me mentir. Blanche n'existe pas. Je suis Emma. J'ai inventé Blanche de toutes pièces pour ne pas avoir à regarder la réalité en face. Le crime d'Emma est le mien. Évidemment, puisque je suis Emma. Je continue de parler de moi à la troisième personne. Comme si j'étais encore en dehors de moi-même. Je ne m'habitue pas. Je ne m'habitue pas, pourtant je le répète : je sais, maintenant. Je voudrais oublier encore. Malheureusement, mon médecin, l'aliéniste Guillaume Morin, m'a ordonné de me souvenir. « Quand tu te réveilleras, Emma, cette fois, tu te souviendras de ce que tu m'as dit. » Quel méchant homme ! Me priver de l'oubli, le seul remède qui puisse me soulager. M'arracher mes dernières défenses. Il m'a écorchée et, maintenant, il me laisse me débrouiller toute seule. Je n'ai plus de peau. Je n'ai plus de remparts. Je suis toute nue dans la tempête. J'ai froid. Je meurs. Mais je reste en vie. Je ne suis que souffrance.

Je comprends désormais pourquoi les paroles d'Emma trouvaient un étrange écho en moi. Pourquoi cette femme savait à mon sujet des choses que j'ignorais. Je croyais qu'elle était entrée par effraction dans ma mémoire pourrie pour en extirper des parcelles gardées dans l'ombre. J'avais parfois l'impression qu'elle m'obligeait à m'observer dans un miroir. Elle était mon reflet. Je ne le supportais pas. On aurait dit deux vies, deux univers qui entraient en collision. J'avais peur de ce qu'Emma voulait me montrer: une Blanche que je ne connaissais pas. Une Blanche pas si blanche que ça. Une Blanche de chair et de sang. Une Blanche pleine de violence. Une figure d'ange avec l'âme d'une bête sauvage. Je ne l'aimais pas, cette Blanche-là. Je ne voulais rien avoir à faire avec elle. Je pensais que c'était Emma qui la réveillait. Je voulais que la Blanche toute noire disparaisse. Qu'elle retourne dans les marécages puants d'où cette folle d'Emma l'avait tirée. Me voilà bien avancée aujourd'hui. Emma la folle, c'est moi...

Les stries blanches sur mon ventre ne sont pas là parce que j'étais ronde avant d'intégrer l'asile. Elles sont les marques laissées par une grossesse. Une grossesse que j'avais vainement tenté d'interrompre. D'abord en récitant une neuvaine, puis en me rendant chez la mère Alphonsine, une faiseuse d'anges de la rue des

Fossés. Malgré la teinture de cohosh bleu et l'infusion de tanaisie, malgré les sauts en bas des chaises, j'ai eu un bébé. Adrien. Adrien Vincent. Il ne porte pas mon nom, mais c'est mon fils. Un fils que j'ai laissé mourir dans la neige après avoir essayé de le tuer dans mon ventre pourri. Je n'ai rien à voir dans le miracle de sa survie. Je suis une meurtrière. Je mérite le pire des châtiments. Une mort lente et souffrante. Une mort longue. J'ai lâché mon bébé dans la tempête comme un paquet de linge sale. Et je suis partie me soûler.

Ceux qui veulent encore croire en mon innocence disent que des mécréants ont profité de mon état de confusion pour me faire boire de force. C'est du moins ce que j'ai raconté, paraît-il, au cours de ma première séance d'hypnose. Mais quelle valeur doit-on accorder aux affirmations d'une dégénérée comme moi... Ils ont beau dire, ceux qui me cherchent des excuses. Je me suis enivrée quand même. Pendant que le froid glacial grugeait les orteils de mon fils innocent. Puis, j'ai été emmenée en prison pour désordre. Désordre! Alors que je venais de me rendre coupable de meurtre! Et pas de n'importe quelle sorte de meurtre: j'avais tué la chair de ma chair. Il y a un nom pour ça: infanticide. Il me jette de l'épouvante plein la tête. Alors, désordre! La justice n'est qu'une farce. Et comme je ne suis qu'une peureuse, au lieu de me souvenir de mon crime, je l'ai oublié. Effacé ! Pardi… Comment ai-je pu chasser cet assassinat de ma mémoire ! Malgré tout, il m'est resté un peu en tête. À preuve le geste désespéré que j'ai posé en prison.

Je n'ai pas la gorge serrée parce que les odeurs de l'asile offusquent mon nez de bourgeoise, ni parce que j'ai bon cœur et que la misère des autres me trouble… Non, j'ai la gorge serrée parce que, dans un éclair de lucidité, j'ai essayé de me tuer en prison. J'ai bu de la soude caustique et je me suis brûlé l'intérieur. J'aurais dû crever comme un rat empoisonné. Mais une gardienne avait déjà eu affaire à ce type de suicide. Pour mon plus grand malheur, elle savait quoi faire. Au lieu de me forcer à vomir comme le lui hurlaient les autres, paniquées, elle m'a obligée à boire des pintes d'eau froide et des bols entiers de jus de citron. Cela a apaisé le feu qui me consumait les entrailles. Assez pour me sauver la vie. Mais je suis pleine de cicatrices qui me font la voix rauque et qui empêchent la nourriture de passer. Si les sœurs ne m'avaient pas nourrie de bouillons et de purées, je serais morte. Elles auraient pourtant dû me laisser mourir. Je suis une criminelle. Mon bébé n'est pas mort. Il est seulement estropié. Je ne peux pas être accusée de meurtre. Mais au fond de moi, je sais que je suis mauvaise. Je l'aurais tué si une bonne étoile n'avait pas veillé sur lui. Je ne suis pas une bonne étoile. Je suis une calamité. Un monstre. Une erreur de la nature qui ne mérite pas de vivre. Quelle espèce de mère essaie de tuer son enfant ? Et moi qui ai traité Bénédicte de débauchée ! « On voit la paille dans l'œil de son voisin, mais pas la poutre dans le sien... » N'est-ce pas ce qu'affirment les Évangiles ? Comme c'est vrai...

Le surintendant m'a dit que Blanche est mon repentir. Il a bien vu que je ne comprenais rien à ses paroles. Alors, il m'a expliqué... Lorsqu'un peintre commence une toile, il lui arrive d'opter pour un sujet, de le développer en partie, et de changer soudainement d'idée. Alors, il corrige et recorrige son œuvre afin de créer un nouveau tableau par-dessus le premier. Mais dessous, le dessin d'origine est toujours là. C'est lui, le repentir. On peut même le voir avec des rayons X.

— Je ne sais pas ce que sont les rayons X, lui ai-je avoué, comme si c'était important.

Il a souri et m'a affirmé que ce sont des rayons permettant de voir à l'intérieur des corps et de certains objets.

— Alors, si on me passait aux rayons X, vous dites qu'on apercevrait Emma en dessous ? Que j'ai mis Blanche par-dessus pour la cacher ?

Je pensais à mes poupées spéciales. Mes poupées russes. Les verrait-on avec ces rayons magiques ? Le docteur Morin a souri derechef.

— Pas tout à fait, Emma. Je te donne seulement la peinture en exemple. Dans ton cas, c'est un processus invisible. Une défense de ton esprit. Ça ne se verrait pas aux rayons X.

En vraie folle que je suis, j'ai presque été soulagée. Je n'avais pas envie de découvrir à quoi ressemblait cette Emma dégoûtante dissimulée sous un paravent blanc.

Pendant toutes ces semaines, j'avais cru qu'Emma était une autre. J'ai mis en elle tout ce que je ne pouvais pas garder en moi. Je me croyais pure, blanche comme neige. Sœur Clotilde du Sacré-Cœur avait raison. J'ai moi-même choisi mon prénom. Je me suis tricoté une famille, une mère canadienne-française, un père écossais. Taylor... Je ne suis pas allée le chercher bien loin, ce nom de famille. J'ai juste traduit le mien en anglais. Pour mettre de la distance entre Emma Tailleur et moi. Ça y est, je recommence à parler comme si j'étais Blanche... Emma est mon visage dans le miroir. Mon ombre. Ma vie à l'envers. Si je marche dans ses pas, c'est moi que je trouve. Quand je baissais ma garde, la nuit, je m'entendais penser. Je croyais que c'était une autre qui me parlait, qui me confiait ses exécrables péchés.

Je m'entendais moi-même. Je suis vraiment folle. Vraiment à ma place dans cet asile.

Je ne suis pas ici en mission. Le surintendant n'est pas mon amoureux. J'ai voulu le croire. Pour expliquer ma présence en ces lieux. Je me suis inventé une belle histoire d'amour. La vérité, c'est que je suis seule. Mon bébé était ma seule famille et je l'ai mis à mort. Je mérite d'aller en enfer. Il sera plein de neige et de glace, mon enfer. Je passerai l'éternité à mourir de froid. C'est tout ce que je mérite. Le docteur Morin m'a déjà raconté qu'il y a à l'asile des malades qui se cachent, qui s'ignorent. J'ai pensé qu'il voulait dire que des imposteurs prétendaient être malades pour éviter les châtiments. Il voulait plutôt me faire réfléchir. M'amener à découvrir par moi-même ce que je lui avais déjà révélé dans ma première séance d'hypnose.

Je lui avais tout dit, paraît-il. À lui, et à sœur Clotilde du Sacré-Cœur qui avait fait les recoupements et trouvé mon bébé à l'hospice des Saints-Anges. Mon fils y était placé sous les soins de sœur Aurélie, son amie. Ni le docteur Morin ni la religieuse ne savaient comment utiliser les informations que je leur avais livrées. Ils ne voulaient pas m'accabler. Ils m'ont laissé du temps pour assembler les morceaux du casse-tête par moi-même. Ils me posaient des questions sans que ça paraisse trop, saupoudraient leurs propos de sous-entendus, me suggéraient des pistes de réflexion... Sauf qu'ils ont fini par se rendre compte que ça ne menait nulle part. Je devenais de plus en plus folle. Plus que Léontine, Philomène, Angéline, Victoria et Séraphine réunies. Plus que le Colonel et Léonard et Émile et Félix et Napoléon. La reine des fous. Je comprends que sœur Clotilde et le docteur Morin ne souhaitent que mon bien. Reste qu'ils m'ont enfoncé un pieu dans le cœur et que c'est maintenant à moi de me débrouiller avec ça.

Je veux crever.

J'ai réussi à m'enfuir hier. J'ai couru à travers la ville. Stupidement, je pensais que je parviendrais à semer mes souvenirs. Qu'ils resteraient enfermés à l'asile. Il ne m'a fallu que quelques pâtés de maisons pour me rendre compte qu'ils étaient solidement ancrés dans ma tête et qu'ils me suivraient partout où j'irais. Je pourrais embarquer sur un de ces grands bateaux qui mouillent dans le port et partir pour le bout du monde, mes souvenirs viendraient avec moi. J'avais envie de me cogner le crâne contre un mur pour en faire sortir ces fantômes. J'imaginais ma cervelle dégoulinante comme un gros chou-fleur trop cuit qui s'insinuerait entre les pavés. Mais je ne suis qu'une froussarde. Une lâche qui fuit devant les problèmes. Qui se cache. Telles les autruches qui, paraît-il, se mettent la tête dans le sable pour ne pas voir le danger. Je suis sûre que c'est une fausseté. Il n'y a pas d'animal assez stupide pour agir ainsi. Il n'y a que les folles comme moi qui pensent que la réalité s'efface quand on se bouche les yeux...

Mes pas m'ont menée dans la côte du Palais. Là où j'avais abandonné mon bébé sur un banc de neige pendant une tempête. Je ne saurai jamais comment il s'est retrouvé à l'hospice des Saints-Anges quelques rues plus loin. La bonne âme qui l'a ramassé ne devait pas connaître le cylindre pivotant de l'Hôtel-Dieu, à quelques foulées. On a amené mon bébé à la petite crèche attenante à l'hospice de la Miséricorde. Là où les filles tombées, mais sensées, vont accoucher avant de donner leur enfant en adoption. Elles n'accouchent pas toutes seules dans des écuries, elles. Elles ne jettent pas leur nouveau-né sur des bancs de neige, elles. Elles ne les tuent pas. Si mon malheur était arrivé à Bénédicte, je suis certaine qu'elle aurait mis son bébé au monde en sécurité. Comme ma propre mère l'a fait. Bénédicte aurait peut-être même poursuivi en justice le sale monsieur Magnan qui l'aurait mise enceinte. Elle aurait exigé une pension pour élever son petit. Au lieu de quoi, mon bébé à moi est presque mort par ma faute et la gangrène lui a quasiment dévoré les deux pieds. Hier, il faisait beau soleil, comme c'est souvent le cas à la fin du mois d'août. Mais dans mon cœur, c'était l'hiver. Toujours l'hiver.

Je ne suis qu'une pauvre folle.

Rendue en face de l'hôtel Victoria, à quelques pas de l'Hôtel-Dieu, j'ai eu l'impression que les murs de l'hôpital me parlaient. Qu'ils se moquaient de moi. «Ça valait la peine de repérer à l'avance l'endroit où glisser ton bébé au chaud, à l'abri du vent et de la froidure assassine. Espèce de cinglée. Tu te rends compte qu'il a failli périr par ta faute ? Perdre son âme pour l'éternité ? Qu'il est boiteux à jamais, par ta faute ? Par ta très grande faute ? Lâche.»

Mea culpa. Mea maxima culpa... J'ai commencé à me frapper la poitrine en gémissant. Puis je me suis mise à hurler. Un attroupement s'est formé. Encore une lunatique de Notre-Dame de la Pitié qui se donne en spectacle, devaient penser les honnêtes gens. Ensuite, j'ai perdu le fil. Je me suis évanouie, enfin, c'est ce que je crois. Il y a des bonnes âmes pour les détraquées aussi, semble-t-il, car ce matin, je me suis réveillée à l'asile. Quelqu'un avait dû m'y ramener.

Le manuscrit s'arrêtait là. Maude pleurait à chaudes larmes. Platon, par un sixième sens félin mystérieux, paraissait avoir deviné la détresse de sa maîtresse et était venu se blottir contre elle. Il ronronnait, comme pour la réconforter. L'intention était excellente, l'effet mitigé, mais Maude lui fut reconnaissante de l'effort et le caressa doucement. Il faisait nuit noire. L'estomac de la jeune femme criait famine, mais elle ignora sa fatigue et sa faim. Elle relut le cahier plusieurs fois, bouleversée. Pour la deuxième nuit de suite, elle s'endormit dans son fauteuil. Le même cauchemar revint la visiter. Puis, au lieu de la sonnerie de son cellulaire, ce fut, cette fois, le carillon de la porte d'entrée qui l'éveilla. Il était onze heures du matin.

— Ma pauvre chouette! s'exclama Émilie en l'apercevant. Qu'est-ce qui t'est arrivé?

13

— **O**h, maman ! C'est tellement triste !

Émilie entrevit le cahier, tombé sur le tapis. Elle le ramassa et le tendit à sa fille aux yeux brillants de larmes.

— C'est ce qui est écrit là-dedans qui t'a mise dans cet état ?

Maude hocha la tête.

— Tu nous racontes ? lui demanda Béatrice tout en déposant un sac rempli de provisions sur le comptoir de cuisine.

— Je ne sais pas par quel bout commencer, soupira l'étudiante. C'est absolument dément comme histoire.

— Les récits qui se déroulent dans un asile ont souvent cette particularité, lança Béatrice, dans une tentative d'humour un peu anémique.

Malgré la faiblesse de la blague, Maude esquissa quand même un sourire.

— Vraiment, Béatrice, je me suis laissée prendre. J'ai cru à tout ce que Blanche écrivait.

— Elle mentait ? s'enquit Émilie.

— D'une certaine manière, oui. Mais en même temps, non… Quand je vous dis que c'est compliqué…

— Si elle t'a paru si convaincante, déclara la pédopsychiatre, il y a de bonnes chances que ce soit parce qu'elle se croyait elle-même.

— Tu ne saurais si bien dire, Béatrice, fit la doctorante. Et là où ça me fend littéralement le cœur, c'est quand elle se rend compte qu'elle a tout inventé. Elle s'en veut tellement. Elle se traite de tous les noms… J'aurais voulu être là pour la consoler.

Émilie et Béatrice échangèrent un regard perplexe.

— On a un peu de mal à te suivre, ma chérie, dit sa mère. Tu nous expliques ?

— Bien entendu, acquiesça Maude en ouvrant le manuscrit à la première page.

Feuille par feuille, résumant des paragraphes entiers en quelques mots bien choisis, elle amena ses auditrices à la conclusion déchirante de cette narration du siècle dernier. Émilie et Béatrice étaient très émues, elles aussi.

— Tant de malheurs qui auraient pu être évités, lâcha la mère de Maude. Si seulement la société n'avait pas été aussi injuste. Comme si ces pauvres filles-mères avaient fait leur bébé toutes seules…

Béatrice la corrigea délicatement.

— Tu as un peu raison, mais pas complètement, fit-elle. Pour ce qu'elle nous en dit, Emma Tailleur a fait une grave dépression *post-partum*. Ne raconte-t-elle pas avoir essayé de se suicider en prison, peu de temps avant son admission à l'asile, quelques semaines seulement après son accouchement ? C'est le genre de trouble psychiatrique qui repose beaucoup sur la vulnérabilité génétique. Bien sûr, les conditions particulièrement stressantes dans lesquelles elle a accouché n'ont pas aidé. Mais j'ai bien peur que cette maladie ait été inévitable. Reste que si c'était arrivé à l'époque actuelle, on aurait pu la soigner. Je pense qu'Emma souffrait d'une maladie bipolaire ou d'un trouble schizo-affectif. Il existe d'excellents traitements de nos jours.

Béatrice avisa le teint soudain livide d'Émilie. Un coup d'œil lui révéla que Maude n'était pas en meilleur état.

— Quoi ? Qu'est-ce que j'ai dit ?

— Le père de Maude était bipolaire, lui aussi. On voit d'où ça vient, maintenant.

— Tu ne m'as jamais parlé de ça ! lança la pédopsychiatre, d'un ton de reproche.

— Je sais... Pardonne-moi... Je voulais tourner la page sur cette partie difficile de ma vie.

— Ne pas révéler quelque chose ne fait pas que ça ne soit jamais arrivé, répliqua Béatrice.

— Je sais, je te dis. Pas besoin de tourner le fer dans la plaie. J'aurais dû t'en parler dès le commencement. J'ai remis la discussion à plus tard. Le temps a passé. C'est devenu plus ardu d'aborder le sujet. Et puis, un jour, ça a cessé d'être pertinent.

— Je comprends…

— Pas sûre, déclara doucement Émilie. Tu n'as jamais été mariée à un homme malade qui refuse de se faire soigner. Dont l'humeur n'est qu'une série de montagnes russes. Des hauts incroyables avec des projets farfelus, des achats irréfléchis, des tromperies qui me faisaient un mal fou. Puis, des dépressions qui n'en finissaient plus. Des mois à broyer du noir, à ne plus bouger, à ne plus manger, à vouloir mourir. Quelques semaines de répit, et c'était reparti dans l'autre direction. J'ai enduré ça cinq ans. Cinq ans à tenter de le convaincre d'accepter de l'aide. À l'écouter m'accuser de vouloir l'abrutir avec des médicaments. À reprendre espoir durant une bonne période… Tout ça jusqu'au jour où il a essayé de se tuer en emmenant Maude avec lui, en s'empoisonnant avec le tuyau d'échappement de son auto. J'ai décidé que ça s'arrêtait là. Je suis partie. Et même si c'est moi qui ai provoqué notre rupture, j'ai toujours senti que c'était Matthieu qui nous avait abandonnées, par son orgueil mal placé. Sa foutue fierté qui l'empêchait de recevoir les soins que son état nécessitait…

— Tu m'as dit qu'il était mort ! D'un cancer du poumon. Six ans avant qu'on se rencontre !

— Et c'est vrai. Il est effectivement mort, deux ans après notre séparation. Quand Maude avait sept ans. Et vraiment d'un cancer du poumon. C'était un fumeur invétéré, excessif, comme dans tout. Il n'avait que trente-six ans.

— Quel gâchis…

Béatrice se rendit compte que Maude avait encore pâli et qu'elle n'avait pas pipé mot depuis quelques minutes.

— Ça va ? lui demanda-t-elle.

— Pas vraiment, répondit Maude d'une petite voix. Ça fait peur d'entendre tout ça… Et si je devenais bipolaire à mon tour, comme mon père, comme Emma ? Je n'ai pas du tout envie de finir à l'asile !

— Voyons, Maude, tenta de la rassurer sa mère. Tu sais depuis longtemps pour la bipolarité ton père. Il n'y a rien de neuf dans ça. Tu as vingt-trois ans. Tu n'as jamais fait de dépression. Tu es d'une humeur égale comme un fleuve tranquille. Allons, ma fille !

Ne t'emballe pas avec ces histoires ! J'ai raison, n'est-ce pas, Béatrice ?

— Absolument ! La génétique, ce n'est pas tout ! Il ne suffit pas d'avoir un parent bipolaire pour le devenir à son tour.

— Mais ça n'aide pas, insista Maude.

— C'est sûr. Reste que des études ont prouvé que dans les familles où certains membres ont des troubles psychologiques, on en trouve aussi souvent d'autres qui sont beaucoup plus créatifs que la moyenne.

— Tu dis ça pour me consoler, là, affirma Maude avec un pâle sourire.

— Non, pas du tout. C'est la pure vérité. Comme si un cerveau qui fonctionne un peu différemment des autres pouvait se manifester chez certains par une folie destructrice et chez d'autres par une merveilleuse imagination. Et puis, il y a ceux qui ont les deux : un problème psychiatrique et une créativité hors du commun. On ignore ce qui cause la différence entre toutes ces personnes.

L'étudiante se frotta le visage.

— J'espère sincèrement avoir juste hérité du gène de l'imagination.

— Toutes les chances sont de ton côté, ma belle, soutint la pédopsychiatre.

— Donc, d'après toi, Emma était bipolaire.

— Ou schizo-affective.

Devant la mine songeuse de ses interlocutrices, Béatrice expliqua :

— Pour résumer très grossièrement la chose, le trouble schizo-affectif est une maladie plus sévère que le trouble bipolaire, mais qui lui ressemble. Dans un cas comme dans l'autre, ça n'explique pas tout concernant Emma. Entre autres, ses problèmes de mémoire ne sont pas typiques de ces deux maladies. Cela m'amène à croire qu'en plus du reste, Emma a été traumatisée par son accouchement solitaire et par l'abandon forcé de son bébé. Elle ne pouvait pas accepter de l'avoir tué. Elle a fini par apprendre la vérité, mais il était trop tard. Le mal était fait. Pendant des mois, elle a été certaine d'être responsable de sa mort. Et ça, elle n'arrivait pas à le tolérer. Ça lui faisait trop mal. Une tempête dans sa tête, comme elle l'écrit si bien. Alors, son esprit s'est fracturé. Elle a perdu le souvenir de tout ce qui lui était arrivé jusqu'à ce qu'elle se retrouve à l'asile. Elle n'avait jamais été enceinte. Elle n'avait jamais eu de bébé. *Niet, nada, niente…* Elle s'est forgé une nouvelle identité. Inconsciemment.

— C'est presque incroyable ! s'exclama Maude. Ça arrive pour de vrai, ces affaires-là ? Pas juste au cinéma ?

— Ça arrive, ça porte même un nom : la fugue psychogène. Mais c'est très rare.

Heureusement… Parce que c'est un trouble majeur… Emma Tailleur est ainsi devenue Blanche Taylor. Une jeune femme qui n'avait rien à se reprocher. Sauf que la séparation entre ses deux personnalités n'était pas totalement étanche. La vérité voulait émerger à la surface. Comme des bulles qui montent du fond de la mer. La vérité passait dans les voix que la nouvelle Blanche entendait. La vérité passait même dans la mission dont la jeune femme se croyait investie : débusquer des malades qui s'ignorent. Ça pourrait être d'une beauté fascinante, si ce n'était pas si triste…

— Et son amour pour le surintendant ? Tu le mets où dans ton *beau* schéma ? s'enquit Maude.

— Je pense que l'esprit d'Emma a inventé cette romance pour rendre l'intolérable plus supportable, comme une espèce de compensation pour les déceptions de la vie. Orpheline, élevée par les sœurs, la petite Emma n'a jamais connu son père. Ensuite, le premier homme chez qui elle travaille abuse d'elle, la met enceinte et la jette à la rue, comme un tas de guenilles usées. Emma arrive à l'asile et, enfin, un homme se soucie d'elle. Il est médecin. L'imagination d'Emma s'emballe. Elle se persuade qu'il est amoureux, mais tenu au secret. Qu'il a besoin d'elle, même. C'est tout un réconfort pour cette âme solitaire et durement éprouvée. Elle lui sacrifierait tout.

Maude et sa mère soupirèrent de concert.

— On dirait un scénario de film…, lança Émilie.

— Sauf qu'il lui manque la fin à notre scénario, maugréa la doctorante.

— Où est le reste du dossier d'Emma ? demanda Béatrice.

Et Maude d'expliquer les circonstances de la découverte du manuscrit, et l'absence de notes cliniques, pour le moment.

— Pour le moment seulement, répéta-t-elle. Parce que demain, à la première heure, je retourne aux archives de l'institut et je n'en sors pas avant d'avoir mis la main dessus.

— Peut-être apprendras-tu de bonnes nouvelles, suggéra Émilie.

— Comme quoi ? fit la jeune femme.

— Comme qu'une fois sa mémoire retrouvée, Emma a finalement pu quitter l'hôpital et reprendre une vie normale.

Maude se tourna vers Béatrice.

— C'est toi la spécialiste. Ça se peut, ce que propose mon optimiste de mère ?

— Ça se peut. Si on prodigue à Emma les soins appropriés. Des soins très attentifs. Tu imagines un peu le choc que toutes ces révélations ont dû représenter pour elle ?

Émilie et Maude firent signe que oui.

— Paf, comme ça, d'une heure à l'autre, Emma apprend qu'elle n'est pas Blanche Taylor, qu'elle a presque tué son bébé, que l'histoire d'amour qu'elle pensait vivre avec le surintendant n'est que pure invention et qu'elle est à l'asile parce qu'elle est véritablement folle et non pas pour y mener à bien une mission grandiose... Vous imaginez? réitéra-t-elle.

Devant la mine défaite de ses interlocutrices, Béatrice tempéra quelque peu ses propos :

— Si ses soignants sont bien avisés, ils veilleront sur elle nuit et jour. Ils l'entoureront de bienveillance. Ils l'aideront à se pardonner, à être indulgente envers elle-même, à comprendre qu'elle a fait de son mieux, dans les circonstances.

— Sinon? s'enquit Maude.

— Sinon, je crains que l'esprit d'Emma ne se fissure une seconde fois. Pour les mêmes raisons que la première. Et là, la cassure pourrait être encore plus terrible. Peut-être permanente...

— Maman, tu es sûre que tu n'as jamais entendu papa parler de la mère de son grand-père? Mentionner qu'elle avait vécu à tel ou tel endroit? Qu'elle était morte à un âge avancé, en désherbant son jardin par exemple ? demanda Maude qui ne parvenait pas à envisager la possibilité qu'Emma ait de nouveau sombré dans la déraison.

— Absolument sûre, ma chérie. Avant que tu fasses tes recherches généalogiques, personne dans la famille Vincent n'avait jamais entendu parler d'une femme se nommant Emma Tailleur. C'est toi qui l'as découverte, ma chouette… Mais ça ne veut pas dire qu'Emma ne s'est pas améliorée au point de reprendre une vie quasi normale, juste qu'elle n'a jamais eu de véritable contact avec son fils.

— J'ai tellement hâte à demain ! s'exclama l'étudiante en histoire. Je tournerai les archives à l'envers s'il le faut, mais je découvrirai la vérité.

Émilie s'était levée et avait commencé à farfouiller dans le sac à provisions sur le comptoir. Elle en tira un petit paquet, enveloppé de papier journal et ficelé d'un brin de jute. Elle le tendit à sa fille.

— Pour toi. Une bricole que Béatrice et moi avons dénichée chez un brocanteur du Vieux-Port ce matin. Ça te portera peut-être bonheur dans tes recherches.

— Qu'est-ce que c'est ? demanda Maude, en soupesant le paquet si léger que l'essentiel de son poids paraissait provenir de l'emballage lui-même.

— Ouvre, fit Béatrice qui s'était approchée et avait affectueusement posé sa main sur le bras d'Émilie. C'est ta mère qui l'a vue en premier.

Maude développa le présent.

Au cœur du papier journal reposait un objet ravissant. Une tige d'argent rutilant surmonté d'une pierre violette.

— Oh! Une épingle à chapeau comme celle dont parle Emma! Elle est ravissante. Merci... Je suis certaine qu'elle va me porter chance!

— C'est vrai qu'elle est jolie. Je suis contente qu'elle te plaise, ma chérie.

Maude déposa le petit bijou sur le journal d'Emma. Elle eut l'impression d'entendre les deux objets soupirer d'aise, comme s'ils étaient heureux d'être enfin réunis. *J'ai l'imagination qui déborde. Une digne descendante d'Emma Tailleur,* songea-t-elle avant de reporter son attention vers ses visiteuses.

— Bon, c'est bien beau tout ça, mais la vie continue, déclara Béatrice, et ma vie à moi a besoin de carburant. J'ai une faim de loup. Pas vous?

Maude éclata de rire. L'appétit de la pédopsychiatre, pourtant aussi filiforme que Kate Middletton, la nouvelle duchesse de Cambridge, était formidable. À se demander où elle mettait les milliers de calories qu'elle ingurgitait sans vergogne.

— Avec tout ce que vous avez apporté, c'est sûr qu'on peut se cuisiner quelque chose de bon, annonça Maude en sortant du sac à provisions les fruits, légumes et petits pots de confitures achetés au marché public.

— Oh que non. Ça, c'est pour toi seulement. Pour les jours où tu oublies de faire les courses, intervint Émilie.

— Voyons, maman! Ça n'arrive jamais! Mon frigo est toujours plein, s'écria Maude, le rouge du mensonge lui colorant aussitôt les joues.

— Pas de *rouspétage*, coupa Béatrice. On s'offre un dîner en famille au resto. On le mérite bien, après toutes ces émotions.

— J'ai vu qu'on avait ouvert un petit bistro belge sur Saint-Vallier, ajouta Émilie. Le menu a l'air très bon. J'aimerais l'essayer.

— J'espère qu'ils auront des moules. Et des frites. Et de la mayo maison, s'enthousiasma Béatrice.

— Et du waterzoï, renchérit Émilie.

Devant ces deux volontés réunies, les protestations de Maude ne faisaient pas le poids. Et à dire vrai, après toutes ces heures passées à lire le journal d'Emma Tailleur, alias Blanche Taylor, il ne lui déplaisait pas de sortir de chez elle.

— O.K! O.K! Je prends une douche rapide et on y va.

Ainsi fut fait. Platon nourri et ravitaillé en eau fraîche, les provisions rangées dans le frigo et dans les armoires, les trois femmes sortirent dans la magnifique journée d'été.

Le dîner s'éternisa. La longue balade qui suivit mena le petit groupe jusque sur la promenade Samuel-De Champlain, inaugurée un siècle après les plaines d'Abraham, pour souligner les quatre cents ans de la ville. Le retour se fit par le quartier historique Petit-Champlain. Émilie et Béatrice dépensèrent des dizaines de dollars dans une savonnerie artisanale, puis firent cadeau à Maude de plusieurs kilos de savons aux fruits et de lotions pour le corps qui semblaient bonnes à manger tant elles embaumaient. Il fallut faire l'achat d'un joli sac à dos en cuir dans une autre boutique pour que la jeune femme puisse transporter le tout sans se donner un tour de rein. Finalement, l'après-midi tira à sa fin et Béatrice déclara qu'elle n'avancerait plus d'un pas à moins qu'on ne lui permette de se sustenter dans le prochain quart d'heure. Le Marie-Clarisse leur faisait de l'œil au bas de l'escalier Casse-Cou. Les marcheuses s'y laissèrent tenter par la bouillabaisse et les filets de flétan au poivre vert. Fidèle à sa réputation, la compagne d'Émilie couronna le tout d'un gâteau praliné aux trois chocolats avec sa sauce au caramel chaud. Pour la mettre à l'aise, Maude l'accompagna volontiers dans sa démesure. Puis, Émilie roula les deux gourmandes pour rentrer à l'appartement de sa fille. Manière de parler, évidemment, puisque Béatrice et Maude se roulèrent toutes seules.

Émilie et sa compagne n'avaient pas encore franchi le pont de Québec et encore moins atteint leur maison à Beaumont que Maude dormait déjà, blottie dans son lit, et non dans son fauteuil, pour la première nuit depuis trois jours. Platon dormait près d'elle, sur un oreiller, satisfait de constater que la vie semblait redevenir un peu normale.

14

— **B**onjour, Julie! Ça va? fit Maude en franchissant la porte des archives de l'institut, le lendemain.

En ce lundi matin, Julie avait coloré sa mèche en violet et assorti la petite pierre qui brillait à sa narine. *De l'améthyste?* se demanda la doctorante.

— Très bien, répondit Julie. Et toi? Belle fin de semaine?

— Très instructive. Et la tienne?

— Comme une fin de semaine de garde…

La mine confuse de Maude exigeait des précisions.

— Il n'y a pas que les docteurs et les infirmières qui travaillent les fins de semaine. Il y a aussi les archivistes. Pour donner accès aux dossiers à tout ce beau monde.

— Les dossiers ne sont pas sur les étages, avec les patients? s'étonna la doctorante.

— Oui, pour ceux qui sont déjà hospitalisés. Mais les dossiers de tous les autres sont ici. Et quand un patient connu de l'institut se présente à l'urgence, il faut bien qu'une personne d'expérience trouve les documents pertinents parmi tout ce qui est conservé dans nos voûtes très somptueuses et très labyrinthiques.

D'un geste large, Julie Sauvageau indiqua les innombrables allées d'étagères où s'alignaient des rangées serrées de chemises cartonnées identifiées par des codes de couleurs et des séries de chiffres. Selon une estimation rapide de Maude, mis bout à bout, l'ensemble devait bien s'étendre sur quelques kilomètres.

— L'informatique n'a pas encore gagné la guerre, ici, fit la technicienne en documentation avec un sourire.

— Et c'est toi qui étais de garde…

— Eh oui. D'ailleurs, tu devrais en être ravie.

— Pourquoi serais-je ravie que tu aies passé ta fin de semaine enfermée dans ce sous-sol sans fenêtres ?

— Heureuse de constater que tu compatis à mes pénibles conditions de travail. Mais rassure-toi, s'empressa de corriger Julie. Je ne déteste pas ces week-ends de boulot. D'abord, la paie est bonne. Et ensuite, entre deux commandes de dossiers, j'ai le temps d'étudier. Mon bac en service social, tu t'en souviens ?

Maude opina du bonnet.

— Sauf que cette fois-ci, je me suis consacrée à un autre genre d'étude.

La doctorante se demandait sincèrement où Julie voulait en venir. Elle réprima l'envie de lui demander d'aller droit au but. *Allez, qu'on en finisse ! J'ai vraiment hâte de me mettre au travail et de dénicher le reste du dossier d'Emma Tailleur.*

— *Tadam* ! s'exclama Julie en déposant une chemise de carton sur le comptoir des archives. Ton dossier ! Enfin, pas ton dossier à toi, Maude Vincent, mais celui que tu cherchais désespérément.

La bouche sèche, Maude bafouilla :

— Quoi ? Tu as découvert le dossier d'Emma Tailleur ?

— Oui, madame ! C'est-y pas beau, ça ?

L'étudiante sentit une joyeuse fébrilité la gagner tout entière.

— Julie ! Wow ! C'est merveilleux ! Je ne sais pas comment te remercier ! Il a été difficile à dénicher ?

— Tu parles ! J'ai vidé huit caisses avant de mettre la main dessus. Il n'était même pas dans une chemise comme les autres. C'est moi qui lui en ai attribué une. Seulement des feuilles flottantes, comme si elles avaient été séparées par mégarde. Je t'ai déjà dit qu'il y avait eu un incendie, pas vrai? Ce qui n'a pas brûlé a été replacé un peu n'importe comment après. Mais bon, voilà… J'espère que tu y trouveras ce que tu cherches. C'est maigrichon comme données… Je t'avertis…

— Tu l'as lu?

— Jamais de la vie! protesta Julie. Je suis une technicienne professionnelle. La confidentialité, ça me connaît! Je te procure le dossier. C'est toi qui le lis. Avec l'autorisation de la DSP[6]!

Maude prit la chemise de carton, le cœur battant la chamade.

— Merci infiniment, Julie.

— Bonne chance! fit simplement celle-ci avant de répondre au téléphone.

La doctorante pénétra dans la petite salle prévue pour les consultations.

Comme elle l'avait fait auparavant avec le manuscrit, Maude garda le dossier d'Emma fermé quelques instants, ses paumes délicatement appuyées sur l'enveloppe de carton. Elle s'imprégnait de la magie du moment et

---

6. DSP: Direction des services professionnels.

savourait toutes les possibilités qui s'offraient encore à elle. Quand elle aurait lu le document, il n'y aurait plus qu'une seule vérité. Pour l'heure, tous les espoirs étaient encore permis. Emma pouvait guérir, ou du moins se rétablir suffisamment pour quitter l'asile et mener une vie simple et satisfaisante. Ou alors, funeste éventualité, son âme pouvait ne pas résister au choc de sa deuxième séance d'hypnose et s'émietter à jamais. Laquelle de ces voies avait choisi le destin ? Maude ne se décida à ouvrir le dossier qu'après avoir conclu que, quoi qu'elle fasse, les dés étaient déjà lancés. La partie était jouée depuis belle lurette.

La chemise d'Emma était très mince. Elle ne contenait, en réalité, que trois pages. *Même pas moyen de tergiverser*, soupira la doctorante… En quelques minutes, elle aurait la réponse à ses questions.

L'épingle à chapeau en argent et en améthyste posée sur le journal d'Emma semblait surveiller la lectrice. Il ne fallut pas longtemps à Maude pour comprendre de quel côté avait penché la balance. Elle en eut le cœur serré.

Parmi les trois feuilles du maigre dossier, les deux premières étaient la classique formule C que Maude avait appris à reconnaître. Nom, prénom, état civil, date d'admission et de départ ou de décès, le cas échéant… Et dans le cas d'Emma, il s'agissait bien d'une date de décès, ce qui tuait dans l'œuf tout espoir de rétablissement. Appétit, propreté, nombre d'internements, traitements dispensés… Des données vides de sens. La page suivante était intitulée «Résumé de dossier» et offrait un minuscule rectangle de deux centimètres sur vingt pour consigner l'évolution mentale du malade. Deux centimètres sur vingt pour résumer l'histoire d'une vie. Beaucoup trop peu pour contenir une existence entière ! Entrée à l'asile le huit mars mille neuf cent huit, Emma y était morte le dix avril mille neuf cent cinquante. Elle était alors âgée de soixante ans. Plus de quarante ans de vie asilaire tenaient ainsi en quelques lignes dans un dossier froid, affreusement clinique.

Ancienne servante ayant accouché d'un bébé illégitime qu'elle a abandonné devant la crèche et laissé pour mort. Incarcérée à la prison de Québec pour désordre, puis transférée ici après une tentative de suicide par empoisonnement (soude caustique). A dû être nourrie de force. Mutique pendant des jours. A présenté des périodes mélancoliques en alternance avec des moments de grande excitation. Grave cas de folie circulaire. A aussi développé un délire érotomaniaque dans lequel elle se disait la fiancée du surintendant Morin. Dangereuse. Tendance à l'automutilation. Même

*les traitements les plus modernes ont
échoué, dont une lobotomie en mille
neuf cent quarante-neuf. Décédée des
complications d'une pneumonie. Aucune
famille connue. Enterrée dans le cimetière de l'hôpital. A rédigé un journal
intime pendant quelques mois, placé
en annexe.*

Encore une fois, Maude dut s'éponger les yeux. C'était bien l'histoire d'Emma telle qu'elle l'avait lue dans son journal. Mais en même temps, il manquait l'essentiel. Il n'y avait aucune chaleur dans ces notes cliniques. Aucune âme. La personnalité d'Emma y était imperceptible. Son côté un peu irrévérencieux, ses réflexions impertinentes sur les soignantes dont la très vilaine sœur Marcelle du Saint-Sépulcre, sa jalousie enfantine envers la vraie famille de son supposé amoureux, les grimaces qu'elle avait faites à leur photographie le soir où elle s'était introduite dans le bureau du surintendant, ses commentaires candides sur les autres malades… Il n'y avait rien de ça. Mais pouvait-il en être autrement ? Des milliers de patients étaient passés entre ces murs… Maude pouvait-elle vraiment s'attendre à ce que chacun ait fait l'objet d'une étude de cas détaillée ? Que chaque malade ait été l'objet d'un intérêt profond et dévoué ?

Maude se gronda. Ces mots n'étaient que de l'encre déposée sur le papier après la mort d'Emma. Rien ne prouvait que ceux qui s'étaient occupés de son aïeule au quotidien n'avaient pas été bons pour elle. Peut-être Emma avait-elle reçu, en vérité, les meilleurs soins du monde. Tout cela n'avait pas été consigné dans son dossier, voilà tout. Du moins, Maude l'espérait très fort.

La jeune femme se moucha et tourna la page. Elle vit, agrafé au résumé, un texte en rangs serrés, écrit sur du papier d'écolier jauni, recto verso. Maude ressentit comme un coup de poing dans sa poitrine. Cette écriture était la même que celle du manuscrit. Du fond des âges, Emma s'adressait de nouveau à sa descendante. Les yeux embués par l'émotion, la doctorante en histoire lut les derniers mots de son aïeule. Ils étaient datés du dix-neuf septembre mille neuf cent huit, à peine quelques semaines après la deuxième séance d'hypnose où tout avait basculé.

Je m'appelle Blanche Taylor, j'ai dix-huit ans, et je suis retenue ici sous de faux prétextes. Ah! Je sais bien que je suis loin d'être originale de crier ainsi ma santé mentale. Tous les fous braillent la même chose que moi. Mais cela ne m'empêchera pas de dire la vérité. On a essayé de me faire croire que je suis folle. On m'a obligée à me soumettre à une humiliante séance d'une sorte de magie noire qu'on appelle l'hypnose. Tout le monde sait qu'il ne s'agit que d'une basse et dangereuse fumisterie. Une diablerie. Il n'y a qu'à écouter cette folle de Marie-Rose qui raconte à qui veut l'entendre, et même aux autres, qu'elle a été séduite à son insu par un dompteur de lions hypnotiseur alors qu'elle assistait à un numéro de cirque. Pour ma part, j'ai bien failli perdre la raison à cause de cette maudite hypnose. Il n'y a qu'à relire les dernières pages de mon journal pour le constater. J'ai été victime de sorcellerie.

On m'a mis des idées terribles en tête. Comme quoi je ne m'appelle pas vraiment Blanche Taylor, mais bien Emma Tailleur. Quels imbéciles! Comme si je n'étais pas la mieux placée pour savoir comment je me nomme! Et ce n'est pas tout. On a essayé de me convaincre que j'avais eu un bébé et que je l'avais abandonné sur un banc de neige. Tant de méchanceté me lève le cœur. On veut me persuader que j'ai oublié tout ça, mais que c'est vrai et que ça me rend malade. À mon avis, les plus fous ici ne sont pas ceux qu'on pense. Quelle bande de sans-dessein! Je rirais si ce n'était pas aussi tragique. Faire des accroires de même à du pauvre monde, c'est sûrement interdit. Bande d'hypocrites enragés. Je vais demander à Bénédicte de m'aider à m'enfuir. Si ça ne marche pas, je trouverai le moyen de contacter un avocat. Je ne peux pas concevoir qu'un juge ne réussisse pas à m'arracher aux griffes de ces forcenés. Cet asile est devenu ma prison, alors que je n'ai jamais rien fait de mal. Et si l'avocat ne suffit pas, j'écrirai moi-même à monsieur Lomer Gouin et à monsieur Wilfrid Laurier. Jamais je ne croirai que le premier ministre du Québec et celui du Canada ne comprendront pas la terrible injustice dont je suis victime! Dès qu'ils le pourront, ils enverront une automobile pour venir me chercher. Pour plus de sûreté, je composerai même un mot pour l'évêque de Québec, monseigneur Louis-Nazaire Bégin. Il n'a pas d'automobile, lui, que je sache. Mais j'accepterai qu'il m'envoie un simple fiacre. Et si tout cela échoue, j'implorerai le Colonel d'intercéder pour moi auprès du gouverneur général. Je mettrai toutes les majuscules qu'il faut. Après ça, il ne me restera plus que le roi. J'espère que je n'aurai pas à me rendre si haut pour faire valoir mon droit. Avoir su, je me serais arrangée pour aller aux fêtes du tricentenaire en juillet dernier. J'aurais pu plaider ma cause auprès du prince de Galles. Il paraît qu'il a assisté à plusieurs célébrations. Mais comment est-ce que j'aurais pu me douter que le vent allait virer de bord à ce point?

J'étais ici pour mener à bien une mission pour le compte de mon soi-disant amoureux, le surintendant. Je dis « soi-disant », parce qu'il tente maintenant de me farcir la tête d'abominations. Des abominations qui appartiennent à une autre. Il ne m'aime plus. Il m'a abandonnée. Je ne comprends pas pourquoi. Pourtant, je n'ai fait qu'accomplir ma part du contrat. Cette enquête dont il m'avait chargée, je m'en suis acquittée loyalement. Même quand mon cœur saignait devant mes découvertes. J'étais folle de lui. J'aurais tout fait pour lui. Ma récompense ? Que de fausses promesses. En plus, voilà qu'il est parti. À la retraite, m'a-t-on dit. Voyons donc. Comme si on partait à la retraite dans la fleur de l'âge. *Sacrabouille,* comme dirait le père Joseph, on me prend pour qui ? Une grosse *gniochonne* ? Je crois qu'on a envoyé le surintendant Morin cultiver des tomates. On a fini par s'apercevoir que c'était un odieux charlatan qui s'amusait à jouer dans la tête des gens et à les rendre fous. On l'a mis à la porte et c'est tant mieux.

Mais il n'est pas juste que je croupisse dans cette *renfermerie* diabolique. Seul le surintendant Morin connaissait la nature de ma mission et ma véritable identité. Sans lui, je suis condamnée. Les aliénistes m'ont accolé l'étiquette de l'insanité. Mon protecteur parti, je suis dans une impasse… Tous les autres me croient aussi folle qu'une poule pas de tête. Aussi folle qu'Angéline qui a deux subconscients et que Séraphine, magnétisée à distance. Aussi cinglée que Simonne persécutée par la fée Électricité. Aussi démente que Léonard avec son pantalon de pyjama, ses roses à la boutonnière et les vers imaginaires qui lui sortent du visage. Aussi marteau que le Colonel et que Napoléon. Franchement... Alors que j'ai toute ma tête ! Comment Guillaume a-t-il pu me laisser derrière ? Il est bien cruel. Un véritable arracheur de cœur. Et les arracheurs de cœur finissent toujours par être punis. Qu'il se le tienne pour dit. Il avait promis. Je trouverai où il habite. Je sais qu'il a une femme et une fille. Il doit payer. Il paiera. Il n'est pas raisonnable que je languisse dans cet asile pendant qu'il est libre comme l'air. Un jour, je me vengerai. Mais en attendant, je vais lui couper les vivres. Finie la mission. Qu'Emma Tailleur continue de se cacher si ça lui chante. Il n'a qu'à la trouver lui-même s'il la veut tant que ça. Pour moi, cette histoire est bel et bien terminée. Je n'écrirai plus un mot dans ce journal. C'était la dernière fois.

Il n'y avait plus d'autres pages, en effet. Le texte s'arrêtait sur cette phrase. Encore une fois, Maude fut infiniment attristée par la minceur dérisoire du dossier de son aïeule. Pauvre petit fantôme oublié par la vie qui l'avait traversé comme un courant d'air. La jeune femme expira longuement. Après quelques instants, elle prit précautionneusement la dernière page du journal de Blanche-Emma et la réunit au manuscrit qu'elle avait lu et relu tout au long de la fin de semaine. Puis, elle glissa celui-ci avec la formule C et le résumé de cas dans la chemise cartonnée au nom d'Emma Tailleur. Impulsivement, elle reprit le journal le temps d'y fixer l'épingle à chapeau achetée la veille par Béatrice et Émilie. Ainsi décoré, le cahier rempli des confidences d'une pauvre âme perdue du siècle passé retourna rejoindre les notes sèches de soignants eux aussi disparus. La boucle était bouclée. Maude se leva et alla remettre le dossier à la réception. Julie n'était pas là. Celle qui la remplaçait le temps d'une pause ne s'étonna pas qu'un dossier lui revienne plus épais qu'au départ. Maude la salua et s'en fut après lui avoir demandé de transmettre ses salutations et ses remerciements à Julie. Elle reviendrait remercier l'archiviste en personne un autre jour. Pour l'heure, la jeune femme était trop émue. Elle avait besoin de sortir à l'air libre, de mettre de la distance entre les murs de l'asile et elle.

Onze septembre
mille neuf cent quarante-neuf

Une femme brassait du linge sale dans une grande cuve d'eau savonneuse. Des mèches blondes striées de gris s'échappaient de son bonnet et encadraient son visage amaigri. Elle n'avait pas encore soixante ans. Elle en paraissait dix de plus. Une infirmière en stricte tenue blanche amidonnée, avec une petite coiffe blanche elle aussi, s'approcha doucement et lui prit l'épaule.

— Emma, c'est l'heure. Venez avec moi, s'il vous plaît.

Il y avait longtemps que la malade ne s'offusquait plus quand on l'appelait Emma. Son véritable nom était Blanche, mais tout le monde se trompait tout le temps. Elle avait renoncé à les corriger.

— L'heure de quoi? dit-elle d'une voix rauque.

— De votre traitement.

— Ah oui, j'avais oublié. Je vous suis.

Elle s'essuya les mains sur son tablier et suivit docilement la garde-malade.

Elle était contente de ce nouveau traitement s'offrant à elle. On lui avait dit que ça ferait taire Emma. Fichue Emma qui ne la laissait jamais en paix. Depuis près de quarante ans, cette chipie tueuse d'enfant la harcelait, lui susurrait des infamies dans les oreilles, l'empêchait de dormir, lui faisait faire des crises de colère. Blanche avait du mal à comprendre comment une intervention sur sa propre tête clouerait le bec d'Emma, mais elle était prête à tout. Sa vieille amie, Bénédicte, n'était pas d'accord. Chère Bénédicte. Sortie de l'asile en janvier mille neuf cent neuf, elle n'avait jamais abandonné sa compagne d'hospitalisation. Elle avait fait sa vie, poursuivi ses études. Elle était devenue architecte. Jamais mariée, mais jamais célibataire, elle menait grand train. N'empêche, elle continuait de rendre visite à celle qu'elle appelait respectueusement «Blanche».

Bénédicte avait maintes fois répété à son amie que l'opération était une erreur. Mais Blanche était têtue. Le médecin qui devait l'opérer affirmait avoir pratiqué des dizaines de chirurgies de cette nature à l'hôpital de Verdun. Il avait beaucoup d'expérience. Selon lui, la seule complication possible était une altération de la mémoire. Or, pour tout dire, Blanche ne détestait pas l'idée d'oublier. La lobotomie lui paraissait donc un traitement fait sur mesure pour elle et c'est d'un pas léger qu'elle suivit l'infirmière vers le pavillon de chirurgie.

Années actuelles

Trois femmes marchaient dans les allées du cimetière de l'ancien asile Notre-Dame de la Pitié. L'une d'elles transportait un bouquet de fleurs, l'autre une pelle et la troisième, une plante en pot. *Plante* était peut-être une exagération. Il ne s'agissait que de quelques branches porteuses de cinq ou six feuilles. Pas plus.

— C'est ici, indiqua la plus jeune en désignant une pierre tombale du bout de sa pelle.

Les deux autres s'arrêtèrent à ses côtés.

— On y va? demanda l'une d'elles.

— À toi l'honneur!

N'attendant que cet encouragement, la visiteuse commença à creuser. Après quelques minutes, elle s'interrompit.

— Ça ira comme ça ?

Celle de ses compagnes qui tenait la plante évalua la profondeur du trou et la compara avec le volume du pot. Elle fit signe que oui, déposa son fardeau, enfila des gants de travail et extirpa du récipient les maigres branches pleines d'épines. Elle déposa la motte de racines dans le trou, le remplit de terre, puis rectifia la position de la plante pour qu'elle pousse bien droit.

— Il faudrait l'arroser, dit-elle.

Du regard, elle examina les tombes avoisinantes et découvrit un arrosoir plein d'eau de pluie. Elle le versa sur le rosier.

Une des femmes plaça alors son énorme bouquet de roses blanches devant la stèle toute simple.

— Pour toi, chère petite étoile filante… En attendant que les autres poussent. Repose en paix.

Maude, Émilie et Béatrice inclinèrent la tête et pensèrent à la pauvre femme éprouvée, morte depuis tant d'années, modestement enterrée dans ce cimetière des négligés. Puis, elles repartirent, se disant que, quelque part dans l'univers, celle qui affirmait s'appeler Blanche était peut-être contente qu'on honore enfin sa mémoire brisée. Les trois femmes l'entendirent presque dire à voix haute : « Il était temps ! Fichue Emma, toujours à me voler la place. Merci à vous, mesdames, même si je ne vous connais pas… »

Note de l'auteure

Alors que vous avez atteint les dernières pages de mon roman, j'aimerais vous rappeler que les patients dont il est question dans ce texte sont des personnages fictifs. Cependant, quelques traits caractéristiques de certains d'entre eux m'ont été inspirés soit par des personnes réelles que mon travail de psychiatre m'a permis de côtoyer, soit par des personnes que des historiens talentueux ont fait revivre dans leurs propres écrits. Je pense ici particulièrement aux travaux d'André Cellard et de Marie-Claude Thifault. Il est possible que mes descriptions vous aient fait sourire à quelques occasions. Il est vrai que les manies, lubies et thèmes délirants de certains patients peuvent étonner. J'espère toutefois que vous aurez saisi le très grand respect que je porte à toutes ces personnes souvent extrêmement souffrantes. Loin de moi l'idée de tourner en dérision leur malaise profond et tout à fait authentique.

Folle de lui et ses thèmes

Le texte que tu viens de lire relate les mésaventures d'Emma, une jeune femme souffrant de troubles mentaux, internée dans la province de Québec au début du 20ᵉ siècle.

Au fil du texte, tu t'es certainement demandé ce qu'était la maladie mentale et tu t'es probablement interrogé sur l'origine des asiles d'aliénés. Voici quelques réponses à tes questions.

A. Qu'est-ce que la maladie mentale ?

La maladie mentale est un dysfonctionnement psychologique causant de la détresse chez les personnes atteintes et leur entourage. La maladie mentale se traduit, entre autres, par des troubles de la pensée, de l'humeur et du comportement. Les causes de la maladie mentale sont complexes. Elles sont à la fois biologiques, génétiques, psychologiques et sociales. Dans tous les cas, l'individu affecté est en détresse et n'arrive plus à fonctionner au sein de sa communauté. La schizophrénie, la dépression, le retard mental et les troubles liés à la consommation de drogues sont des exemples de troubles mentaux.

B. Qu'est-ce qu'un asile ?

Autrefois, les hôpitaux psychiatriques, tels que nous les connaissons aujourd'hui, n'existaient pas. On parlait plutôt d'«asiles de fous», et ces institutions se sont multipliées, en Europe, autour du 17e siècle. On jugeait alors les «fous» et les «aliénés» incurables et trop dangereux pour vivre en communauté. Cette période est appelée «le grand renfermement».

Fait troublant, ces asiles n'étaient pas réservés aux personnes souffrant de troubles mentaux et on y enfermait tous les marginaux de la société comme les mendiants, les débauchés, les criminels, les orphelins, les handicapés, les vieillards et les prostituées… Les conditions de vie y étaient similaires à celles des prisons de l'époque. Ainsi, les malades étaient enchaînés, flagellés, martyrisés par leurs gardiens, et ce, dans les pires conditions d'insalubrité. Les internés ne recevaient aucun traitement digne de ce nom et n'étaient pas suivis par des médecins. Tout au plus soignait-on les blessés et les malades dans une infirmerie…

Ce n'est qu'à la fin du 18e siècle et au fil du 19e siècle que, peu à peu, les choses changèrent et que l'on considéra enfin le malade mental comme un être pouvant guérir et méritant un traitement adapté à ses besoins. Ainsi naquirent deux sciences nouvelles : la psychologie et la psychiatrie.

En savoir plus, aller plus loin

Tu veux en apprendre plus sur les asiles et le traitement réservés aux malades mentaux à travers l'histoire ? Voici quelques sujets qui pourraient t'intéresser :
– Le drame d'Hersilie Rouy, en France, au 19e siècle.
– La vie et l'œuvre d'Émile Nelligan, au Québec, à la fin du 20e siècle.
– Le décès de 45 000 malades mentaux, en France, durant l'Occupation.
– Les orphelins de Duplessis, au Québec, vers 1950.

Tu connais d'autres exemples pertinents ? Partage tes connaissances avec tes amis.

Folle de lui et son époque

Le roman que tu viens de lire se situe au début du 20ᵉ siècle. Voici des événements qui ont marqué cette période au Canada et dans le monde.

1900	En France, inauguration de la première ligne de métro parisienne.
1901	Aux États-Unis, Théodore Roosevelt est président.
1903	Aux États-Unis, premier vol des frères Wright.
1905	Au Canada, la province de l'Alberta et celle de la Saskatchewan sont créées. Freud publie *Trois essais sur la théorie de la sexualité*.
1908	Aux États-Unis, mise en vente de la Ford modèle T. Braque et Picasso développent le cubisme. Klimt peint *Le Baiser*.
1910	Freud publie *Cinq leçons sur la psychanalyse*. Adler fonde la psychologie individuelle.
1911	Le peintre Kandinsky fonde le mouvement expressionniste appelé Le Cavalier bleu.
1913	Publication de *Totem et tabou*, de Freud. Roland Garros traverse la Méditerranée en avion. Mise au point du compteur Geiger.

1914-1918	Première Guerre mondiale.
1915	Première utilisation de gaz toxiques en zone de combat. Langevin étudie les ultrasons.
1916	Einstein développe sa théorie de la relativité.
1917	Au Canada, les femmes obtiennent le droit de vote au fédéral. En Russie, la révolution est un succès (Octobre rouge).
1918	Malevitch peint *Carré blanc sur fond blanc* qui devient le symbole même de la peinture abstraite.
1919	Rutherford provoque la première réaction nucléaire.
1920	Premières émissions radiophoniques.
1921	Création de la Confédération des travailleurs catholiques du Canada.
1922	Mussolini est à la tête de l'Italie.
1927	Charles Lindbergh traverse l'Atlantique en volant sans escale à bord du *Spirit of St. Louis*.
1929	Krach boursier à New York (jeudi noir). Début de la Grande Crise.
1933	Hitler est au pouvoir en Allemagne.
1936	Au Québec, élection de Duplessis et de l'Union nationale. Début de la télévision radiodiffusée.

1939	Au Québec, élection de Godbout et du Parti libéral.
1939-1945	L'Allemagne nazie envahit la Pologne : Seconde Guerre mondiale.
1940	Au Québec, le droit de vote est accordé aux femmes. Bataille d'Angleterre.
1941	Invention de la pénicilline. Le Japon bombarde Pearl Harbor.
1943	Première défaite des Allemands à Stalingrad.
1944	Au Québec, Duplessis est de nouveau au pouvoir. Trois chercheurs américains découvrent les structures de l'ADN. Débarquement des alliés sur les plages de Normandie.
1945	L'Armée rouge libère les prisonniers d'Auschwitz. Les États-Unis larguent deux bombes atomiques sur le Japon : fin de la Seconde Guerre mondiale et début de la guerre froide.
1948	Déclaration universelle des droits de l'homme. Staline impose le régime communiste dans le centre de l'Europe.
1949	Au Québec, guerre de l'amiante. En URSS, mise au point d'une bombe atomique.
1950	Aux États-Unis, début du maccarthysme.

Compréhension de texte

1. Quel traumatisme est à l'origine du trouble d'Emma ? Y en a-t-il un seul ?

   _____

   _____

2. Quel est le sujet du doctorat de Maude ?

   _____

   _____

3. Pourquoi Emma aime-t-elle autant les travaux à la buanderie ?

   _____

   _____

4. Emma tente de se suicider. Comment ?

   _____

5. Au fond, pourquoi Bénédicte est-elle internée ?

   _____

   _____

6. Pourquoi peut-on dire que les poupées que fabrique Blanche lui ressemblent ?

   _____

   _____

7. Quels traitements désagréables doit fréquemment subir Blanche?

_____

_____

8. Comment fait l'intendant Morin pour connaître l'origine du trouble de Blanche?

_____

9. Pourquoi Maude craint-elle pour sa santé mentale?

_____

_____

10. Finalement, comment fait Blanche pour qu'Emma se taise à jamais?

_____

Petit lexique de la folie d'hier à aujourd'hui

Au fil de ta lecture, tu as certainement croisé des termes qui t'ont semblé étranges. En voici quelques-uns avec leur définition.

La mélancolie : Ce mot vient du grec *melankholia* qui signifie «bile noire». Cela peut paraître surprenant mais, au Moyen Âge, les médecins associaient la maladie mentale à un déséquilibre «des humeurs», soit des différents liquides qui, disait-on, circulaient dans le corps humain. On dénombrait quatre humeurs qui devaient demeurer en constant équilibre : le sang (*cosmos*), la bile jaune (*colera*), la bile noire (*melancolia*) et le flegme. Un excès de bile noire était censé provoquer une crise de mélancolie, c'est-à-dire «un grand abattement sans fièvre». Aujourd'hui, cependant, on désigne par le terme «mélancolie» une dépression intense.

L'idiotie : Ce terme vient du latin *incultus* qui signifie «ignorant». À partir du 17e siècle, on réfère ainsi aux personnes souffrant d'un déficit intellectuel profond.

L'aliéné : Ce mot vient du latin *alienare* qui signifie «étranger» ou «rendre étranger». Il s'impose au 19e siècle et désigne le malade mental que l'on considère comme un être qui a changé à cause de sa folie, sans pour autant avoir perdu toute sa raison et son humanité. Par extension, l'«aliéniste» est le spécialiste qui traite les malades mentaux et le terme «psychiatre» n'apparaîtra qu'au 20ᵉ siècle.

Le délire : Ce terme vient du latin *delirare* qui signifie littéralement «sortir du sillon». On désigne ainsi le fait de perdre contact avec la réalité et d'avoir des idées contraires au bon sens.

Furieux : Ce mot vient du latin *furor* qui signifie «folie, égarement». On a longtemps qualifié de «furieux» les malades mentaux jugés dangereux. Durant l'Antiquité, le «furieux» était carrément considéré comme une sorte d'animal enragé. Ce terme, très péjoratif, n'est plus utilisé de nos jours.

Source : «Les mots de la folie», *L'Histoire*, nᵒ 51, avril-juin 2011, p. 4-5.

Portrait : Philippe Pinel

Un célèbre tableau de Charles Louis Müller, datant de 1849, montre Philippe Pinel ordonnant que l'on brise les chaînes des aliénés de l'hospice de Bicêtre. Il faut savoir que ce médecin français est entré dans l'histoire, voire dans la légende, en mettant fin au «grand renfermement». On le considère ni plus ni moins comme le libérateur des malades mentaux.

Or, avant cette libération, Jean-Étienne Esquirol, un médecin contemporain de Pinel, décrit ainsi les conditions de vie dans les asiles :

> Je les ai vus nus, couverts de haillons, n'ayant que la paille pour se garantir de la froide humidité du pavé sur lequel ils sont étendus. Je les ai vus grossièrement nourris, privés d'air pour respirer, d'eau pour étancher leur soif et des choses les plus nécessaires à la vie. Je les ai vus livrés à de véritables geôliers, abandonnés à leur brutale surveillance. Je les ai vus dans des réduits étroits, sales, infects, sans air, sans lumière, enfermés dans des antres où l'on craindrait de renfermer des bêtes féroces, que le luxe des gouvernements entretient à grands frais dans les capitales.

> (Source : ESQUIROL, Jean-Étienne-Dominique. *Des maladies mentales considérées sous les rapports médical, hygiénique et médico-légal*, tome 2, Paris, Librairie de l'Académie royale de médecine, 1838, p.400.)

Heureusement, dès 1785, on songe à une réforme de la gestion des asiles et deux inspecteurs royaux publient *Instructions sur la manière de gouverner les insensés et de travailler à leur guérison dans les asiles.* À cette époque, Pinel dirige l'infirmerie de l'hospice de Bicêtre. Il y rencontre Jean-Baptiste Pussin, un gardien bienveillant envers ses malades. Inspiré par cette approche simple qui donne néanmoins de bons résultats, le médecin décide de ne plus enchaîner ses patients et de mettre fin à un ensemble de traitements qu'il juge inhumains. Parmi ceux-ci, la saignée (ouvrir une veine pour en retirer du sang), les émétiques (pour faire vomir), les bains froids ou chauds (qui pouvaient alors durer jusqu'à dix heures), le bain de surprise (qui consistait à plonger subitement le patient dans l'eau et à le maintenir submergé jusqu'à ce qu'il frôle la mort) et même l'électrothérapie qui, selon des spécialistes de l'époque, était l'outil idéal pour mater les «esprits indisciplinés».

Pinel choisit plutôt de respecter ses malades et de tenter de les comprendre. Il est persuadé de pouvoir les guérir en leur parlant de manière encourageante ou, lorsque nécessaire, de manière à les ramener à la réalité.

En 1803, il reçoit la Légion d'honneur pour l'ensemble de son œuvre, comprenant une des premières classifications des maladies mentales. Il est enterré au cimetière du Père-Lachaise, à Paris, où reposent également plusieurs personnalités célèbres, dont Honoré de Balzac, Frédéric Chopin, Oscar Wilde et Jim Morrison.

Le fou du roi

Dans le tarot de Marseille, le « fou » représente la folie, mais aussi la liberté et l'insouciance. À l'image de cette figure, le fou du roi, ce bien curieux personnage de la cour des rois de France et d'Angleterre, jouissait d'une liberté dont peu de courtisans pouvaient se prévaloir.

Avant le 15e siècle, le fou du roi, ou bouffon, est un véritable malade mental faisant partie de la ménagerie royale qui comprend aussi des nains, des animaux sauvages et autres « curiosités ». Puis, au début du 16e siècle, apparaît le « morosophe », ou fousage. Il s'agit d'un homme cultivé, éduqué, capable de faire preuve de beaucoup d'esprit. Avec son capuchon à oreilles d'âne et sa marotte à la main, il accompagne partout le roi, dont il est le double risible. Généreusement entretenu par l'État, le bouffon doit amuser le souverain, le délasser, mais aussi le désacraliser en le taquinant et en se moquant de lui tant publiquement qu'en privé. Le fou tutoie le souverain, lui coupe la parole quand bon lui semble, le critique et parfois se permet de le conseiller. Le tout sans conséquence.

Même si le temps des bouffons est révolu depuis longtemps, la culture populaire ne les a pas oubliés. Dans l'univers de la bande dessinée, le Joker de Batman et le Bouffon vert de Spiderman sont des variations du fou du roi. Et plus près de nous, Dany Turcotte incarne le bouffon du roi, en l'occurrence Guy A. Lepage, dans la populaire émission télé *Tout le monde en parle*. On retrouve aussi le fou dans de nombreux jeux de société, dont les échecs et les jeux de cartes.

Connais-tu d'autres personnages descendant du fou du roi ? Y'a-t-il, dans nos sociétés, des gens qui, comme le bouffon d'autrefois, servent de contrepoids à la fois critique et ludique au pouvoir en place, le tout en jouissant d'une certaine immunité ?

À votre santé !

Au fil de ta lecture, tu as pu constater à quel point Blanche souffre d'être enfermée et combien elle redoute la plupart des traitements qu'elle doit subir…

Les choses auraient-elles été différentes si Blanche avait vécu à une autre époque ?

Voyons cela…

La préhistoire

La trousse du médecin préhistorique ne contenait pas grand-chose… On exécutait parfois des tatouages là où une douleur était ressentie en espérant ainsi la faire dévier. Puis, lorsque plus rien ne fonctionnait dans la tête du patient, on lui trouait le crâne pour faire sortir le mal, peu importe lequel ! C'est la trépanation. On a retrouvé de nombreux crânes trépanés datant du Néolithique et tout laisse croire que beaucoup de patients survivaient à cette chirurgie, la plus vieille de l'histoire humaine.

Une fois opérée, Blanche aurait pu garder son petit bout d'os dont on faisait des amulettes protectrices…

L'Antiquité

Si notre héroïne était née durant l'Antiquité, en Grèce ou à Rome, on lui aurait sans doute prescrit de l'ellébore. Hippocrate, père de la médecine, utilisait cette plante sous forme de purgatif et la croyait capable de guérir la folie. Petit problème : cette plante est, en réalité, toxique. Elle cause des vertiges, une inflammation de la langue ainsi que de la gorge et peut provoquer des vomissements ou une sensation de suffocation. Dans le pire des cas, elle peut même provoquer un arrêt cardiaque et la mort.

Le Moyen Âge

Durant cette période, on aurait pu croire Blanche possédée du démon. Elle aurait alors bénéficié des bons soins d'un exorciste ou aurait été condamnée à brûler vive sur le bûcher.

Toutefois, avec de la chance, elle aurait peut-être été déclarée « simple d'esprit ». Dans ce cas, elle serait devenue la « folle du village » et aurait pu poursuivre son humble existence paisiblement. En effet, suivant la foi chrétienne, le simple d'esprit est un enfant de Dieu. En ce sens, la Bible affirme : « Heureux les pauvres en esprit car le Royaume des Cieux est à eux » (Mt 5 : 3). Par ailleurs, le fou vit dans un dépouillement que l'on considère, à l'époque, comme étant digne des saints.

Ainsi, personne n'aurait cherché à guérir Blanche ou à l'enfermer. Elle aurait été une source de fascination et un rappel pour tous de l'incertitude de l'avenir et de la dureté de la vie. Seuls les «simples d'esprit» violents étaient enfermés, le plus souvent dans des monastères.

La Renaissance

Du 15e siècle à la fin du 16e, la science, les arts et la philosophie sont en ébullition un peu partout en Europe. Toutefois, beaucoup de superstitions demeurent lorsqu'il est question de troubles mentaux. Nombreux sont ceux qui attribuent encore la folie à une influence démoniaque ou à une perturbation des humeurs (voir la section *Petit lexique de la folie d'hier à aujourd'hui*).

Blanche serait donc toujours menacée par le bûcher.

Néanmoins, une nouvelle pensée humaniste émerge et le statut du fou change peu à peu. Deux penseurs, Érasme et Brandt, font soudainement l'éloge de la folie. Le fou délivre l'homme d'une sagesse excessive, de codes sociaux trop lourds et de lois trop rigides. La déraison est la réponse au conformisme, elle est salutaire. Faire le fou, c'est échapper aux règles imposées par la vie en communauté !

Dans ce contexte et aux yeux de certains intellectuels, Blanche aurait été perçue comme un symbole de liberté.

Les temps modernes

À partir du 17ᵉ siècle, le fou est démythifié et perd de son charme. Bientôt, les malades mentaux font peur. Surtout, leur présence gêne la bourgeoisie qui répugne à les croiser sur son chemin avec d'autres indésirables. C'est la période du « grand renfermement » dont nous avons déjà parlé (voir les sections Folle de lui *et ses thèmes* ainsi que *Portrait*). En France, les deux centres d'enfermement les plus populeux sont Bicêtre et la Salpêtrière.

Blanche n'y aurait pas échappé. Elle aurait été arrêtée et enfermée dans une institution avec d'autres malheureux de toutes sortes.

L'époque contemporaine

Au début du 19ᵉ siècle, les conditions de détention de Blanche se seraient améliorées. Elle n'aurait pas été enchaînée aux murs et elle n'aurait pas eu à subir des traitements disciplinaires comme le fouet. Et à la toute fin du 19ᵉ siècle, notre héroïne se serait peut-être retrouvée à Vienne, étendue sur un divan, dans le cabinet de Sigmund Freud. Ce dernier l'aurait alors encouragée à raconter ses rêves afin de découvrir les secrets de son inconscient ou l'aurait invitée à une séance d'hypnose.

Le début du 20ᵉ siècle

Comme tu le sais, à cette époque, Blanche subit une lobotomie… Encore un trou dans la tête! On raconte qu'aux États-Unis, le docteur américain Walter Freeman procédait à ce type d'opération à l'aide d'un pic à glace qu'il enfonçait dans le coin de l'œil de ses patients pour détruire une partie de leur cerveau. Freeman parcourait le pays en autocar et effectuait ces opérations en série. À lui seul, il a lobotomisé près de 4000 personnes.

Heureusement, vers 1950, les bienfaits de la lobotomie furent mis en doute, les patients traités ayant tendance à devenir asociaux. La lobotomie fut graduellement délaissée au profit des neuroleptiques, tels que la chlorpromazine. Ces drogues permettent de soigner différentes maladies affectant le système nerveux central, dont la schizophrénie, les troubles bipolaires et certains délires et hallucinations. Toutefois, ils comportent de nombreux effets secondaires parfois très lourds.

Qu'en pensez-vous?

Psychologie, hystérie et sexisme

Le terme «hystérie» fait partie du langage courant. Nous l'entendons tous un jour ou l'autre, sinon régulièrement. Cette insulte est souvent servie aux femmes dont on désapprouve la conduite, la répartie ou encore les idées.

Déjà, en 1882, l'écrivain français Guy de Maupassant critiquait l'usage abusif de ce terme injurieux pour les femmes:

> Hystérique, madame, voilà le grand mot du jour. Êtes-vous amoureuse? vous êtes une hystérique. Êtes-vous indifférente aux passions qui remuent vos semblables? vous êtes une hystérique, mais une hystérique chaste. Trompez-vous votre mari? vous êtes une hystérique, mais une hystérique sensuelle. Vous volez des coupons de soie dans un magasin? hystérique. Vous mentez à tout propos? hystérique! (Le mensonge est même le signe caractéristique de l'hystérie.) Vous êtes gourmande? hystérique! Vous êtes nerveuse? hystérique! Vous êtes ceci, vous êtes cela, vous êtes enfin ce que sont toutes les femmes depuis le commencement du monde? hystérique! hystérique! vous dis-je. (Source: Maupassant, *Ma femme*, contes et nouvelles, Paris, La Pléiade, Éditions Gallimard, 1974.)

Mais de quoi parle-t-on exactement lorsqu'il est question d'hystérie? D'où vient ce mot et pourquoi semble-t-il lié à la féminité?

Bien que la définition scientifique de l'hystérie demeure encore vague de nos jours, elle désigne l'expression d'un conflit psychique par des symptômes divers comme des convulsions, des contorsions, des paralysies, etc.

Nous devons le terme «hystérie» à Hippocrate qui, durant l'Antiquité, référait ainsi à une maladie mentale dont il situait l'origine dans l'utérus (ou *hystera*, en grec). D'après lui, l'hystérie affligeait les femmes privées de relations sexuelles. Bref, sans un homme dans sa vie, la femme devenait folle...

Est-ce un raisonnement erroné? Dépassé? Pas tant que ça...

En 1875, en France, à l'hôpital de la Salpêtrière, Jean-Martin Charcot étudie à son tour l'hystérie. Ce médecin, père de la neurologie, avance que le foyer de ce trouble se situe dans l'encéphale, plutôt que dans l'utérus. En principe, l'hystérie n'est donc plus une maladie exclusivement féminine. Toutefois, Charcot exhibe régulièrement, devant de savants spectateurs, une adolescente prénommée Augustine, soi-disant victime d'hystérie. Durant ces séances, la jeune fille est provoquée par hypnose de manière à ce qu'elle exécute, en bonne et due forme, les quatre phases de l'hystérie identifiées par Charcot : l'aura, la phase épileptoïde, les contorsions clownesques et la phase résolutive. Ce spectacle est si bien huilé qu'on accuse bientôt Charcot de tenir un « théâtre de l'hystérie ». D'ailleurs, lasse de devoir jouer les folles, Augustine finit par fuir l'hôpital. Néanmoins, le travail de Charcot gagne l'intérêt du grand public et des actrices se mettent à jouer les hystériques comme on joue du Shakespeare. Bref, la mise en scène de l'hystérie est à la mode et, au lieu de se dénouer, le lien entre hystérie et condition féminine se resserre.

Puis, au début du 20e siècle, survient Freud, le père de la psychanalyse. Il postule que les femmes ne sont pas plus susceptibles d'être atteintes d'hystérie que les hommes. Toutefois, il formule une théorie très controversée, celle de « l'envie du pénis ». Suivant cette théorie, la femme souffre de ne pas avoir de pénis. Elle se sent anatomiquement incomplète et donc naturellement désavantagée face à l'homme. Toujours selon Freud, cette situation provoque chez les femmes un sentiment de vide qui n'est jamais comblé. Par conséquent, la femme est éternellement frustrée et jalouse. Elle aimerait tant être un homme !

À votre avis, qu'en est-il aujourd'hui? Les femmes sont-elles toujours victimes de préjugés en santé mentale et dans la société en général? Et si plus de femmes que d'hommes souffrent de dépression, est-ce parce que les femmes sont plus fragiles ou est-ce dû à d'autres facteurs?

Des films, des livres et un site Internet pour en savoir plus

Le Horla, une nouvelle de Guy de Maupassant, 1887.

Cette nouvelle de Maupassant prend la forme d'un journal dans lequel un jeune homme raconte par le menu et de manière très sentie sa longue descente aux enfers et son combat contre la folie. En effet, pris de malaises étranges, le héros-narrateur est persuadé d'être poursuivi par une entité invisible qu'il nomme le «Horla». En lutte contre lui-même, le jeune homme tente désespérément de faire la part entre le réel, le rêve, l'hallucination et certains phénomènes inexplicables. Malheureusement, il ne s'y retrouve plus. Ce texte est d'une grande intensité puisque Guy de Maupassant souffrait lui-même de troubles mentaux. Auteur néanmoins prolifique, il mourut à Paris après avoir été interné pendant plus d'une année.

Une Iconographie de l'hystérie, voir http://fr.slideshare.net/suhawes/charcots-photographic-icongraphy-of-hysteria

Sur ce site sont disponibles des photos et gravures d'époque illustrant les différentes phases d'une crise hystérique d'après Charcot.

Vous y verrez, entre autres, Augustine, sa patiente la plus connue.

Camille Claudel,
un film de Bruno Nuytten, 1988.

Ce film, mettant en vedette Isabelle Adjani, s'inspire de la vie et de l'œuvre de Camille Claudel. D'abord élève de Rodin, sculpteur émérite, Camille Claudel devint vite son assistante et amante vers la fin du 19e siècle. Malheureusement, la sculpteure au talent unique oublia peu à peu ses propres ambitions pour se consacrer corps et âme à celles de Rodin qui, bientôt, l'abandonna. Or, cette rupture fut si douloureuse qu'elle plongea Camille dans différents délires paranoïaques. Camille Claudel fut internée en 1913 jusqu'à sa mort, à l'âge de 79 ans, en 1943.

Séraphine,
un film de Martin Provost, 2008.

Ce film, mettant en vedette Yolande Moreau, relate la vie de Séraphine, une peintre renommée souffrant de troubles mentaux. Jeune fille issue d'un milieu misérable, Séraphine affirmait avoir reçu de Dieu un ordre formel de peindre. En 1912, son talent extraordinaire fut découvert par Wilhelm Uhde qui l'avait engagée comme servante. Cet homme, éminent collectionneur d'art, fit connaître l'œuvre de Séraphine aux quatre coins du monde. Néanmoins, Séraphine fut internée et mourut oubliée de tous vers 1942. Encore aujourd'hui, on cherche à percer le secret de ses couleurs flamboyantes tirées d'une peinture qu'elle fabriquait elle-même.

Ma vie en cinémascope,
un film de Denise Filiatrault, 2004.

Ce film, mettant en vedette Pascale Bussières, relate la vie d'Alys Robi (Alice Robitaille), une chanteuse québécoise qui fut célèbre dans les années 1940. Alors que ses chansons faisaient le tour du monde, Alys Robi frôla la mort dans un grave accident de voiture. Traumatisée, elle sombra dans une profonde dépression et fut internée contre sa volonté pendant plus de cinq ans avant d'être lobotomisée. Ce film montre sans détour les traitements cruels réservés aux aliénés au milieu du 20e siècle et la nécessité de protéger leurs droits.

Un homme d'exception,
un film de Ron Howard, 2001.

Ce film, mettant en vedette Russell Crowe, raconte la vie de John Forbes Nash, un mathématicien de génie atteint de schizophrénie. Malgré les difficultés énormes que lui causa sa maladie, Nash reçut le prix Nobel d'économie en 1994.

Bibliographie
du supplément

Les informations contenues dans ce supplément sont tirées des ouvrages et articles suivants :

Monographies

BILLINGTON, Sandra. *A Social History of the Fool*, New York, St. Martin's Press, 1984.

Esquirol, Jean-Étienne-Dominique. *Des maladies mentales considérées sous les rapports médical, hygiénique et médico-légal*, tome 2, Paris, Librairie de l'Académie royale de médecine, 1838.

Foucault, Michel. *Histoire de la folie à l'âge classique*, Paris, Gallimard, 1972.

Freud, Sigmund. «*Résistance et refoulement*», dans *Introduction à la psychanalyse*, Paris, Payot, 2004.

Missa, Jean-Noël. *Naissance de la psychiatrie biologique*, Paris, PUF, 2006.

Otto, Beatrice K. *Fools Are Everywhere : The Court Jester Around the World*, Chicago, Chicago University Press, 2001.

Articles de revues spécialisées

CORNETTE, Joël. «Le cas de Séraphine», *L'Histoire*, n° 51, avril-juin 2011, p. 81-82.

FRITZ, Jean-Marie. « Moyen Âge : démoniaques, malades ou amoureux ? », *L'Histoire*, n° 51, avril-juin 2011, p. 35-39.

LASCAR, Fabrice. « Le jour où Pinel libéra les aliénés », *L'Histoire*, n° 51, avril-juin 2011, p. 64-67.

LEVER, Maurice. « Une vie de bouffon », *L'Histoire*, n° 51, avril-juin 2011, p. 48-49.

QUÉTEL, Claude. « Vous avez dit "grand renfermement" ? », *L'Histoire*, n° 51, avril-juin 2011, p. 62-63.

R'BIBO, Yoanna Sultan. « Ouvert, tatoué, marqué… Le corps investi », *Les Cahiers de Science et Vie*, n° 121, février-mars 2011, p. 6-11.

RIPA, Yannick. « Charcot et l'hystérie », *L'Histoire*, n° 51, avril-juin 2011, p. 72.

Bibliographie
de l'auteure

Monographies

CELLARD, André et Marie-Claude Thifault. *Une toupie sur la tête,* Montréal, Boréal, 2007.

COLLECTIF. *Un héritage de courage et d'amour ou la petite histoire de l'hospice Saint-Jean-de-Dieu à Longue-Pointe, 1873-1973,* Montréal, Thérien Frères Limités, 1975.

EVEILLARD, James, et Patrick HUCHET. *Il y a un siècle, une médecine si étrange,* Rennes, Éditions Ouest-France, 2006.

HOCHMAN, Jacques. *Histoire de la psychiatrie,* Paris, PUF, 2011.

LAMBERT, Jules. *Mille fenêtres,* Beauport, Centre hospitalier Robert-Giffard, 1995.

MYERS, Tamara. *Montreal's Modern Girls and the Law, 1869-1945,* Toronto, University of Toronto Press, 2006.

SHOWALTER, Elaine. *The Female Malady, Women, Madness and English Culture, 1830-1980,* New York, Pantheon Books, 1985.

SICOTTE, Anne-Marie. *Quartiers ouvriers d'autrefois, 1850-1950,* Sainte-Foy, Publications du Québec, 2004.

THIFAULT, Marie-Claude. *Folie et déviance des femmes au Québec : 1901-1913,* mémoire de maîtrise en histoire, UQAM, 1994.

THIFAULT, Marie-Claude. *L'enfermement asilaire des femmes au Québec : 1873-1921,* thèse de Ph. D., Université d'Ottawa, 2003.

VALLIÈRES, Marc, *et al. Histoire de Québec et de sa région, vol. 1 : des origines-1791 ; vol. 2 : 1792-1939 ; vol. 3 : 1940-2008,* Québec, PUL, 2008.

WALLOT, Hubert. *La danse autour du fou : histoire de la prise en charge de la folie au Québec. Tome 1 : La chorégraphie globale,* Publications MNH, Beauport, 1997.

Articles de revues spécialisées

Beveridge, Allan. «Life in the Asylum : patients' letters from Morningside, 1873-1908», *History of Psychiatry,* vol. 9, n° 4, 1998, p. 431-469.

CLICHÉ, Marie-Aimée. «L'infanticide dans la région de Québec (1660-1969)», *Revue d'histoire de l'Amérique française,* vol. 44, n° 1, 1990, p. 31-59.

JORDAN, Harold W., *et al.* «Erotomania Revisited : Thirty-Four Years Later», *Journal of the National Medical Association*, vol. 98, n° 5, mai 2006, p. 787-793.

KENNEDY, N. «Erotomania Revisited : Clinical Course and Treatment», *Comprehensive Psychiatry,* vol. 43, n° 1, janvier-février 2002, p. 1-6.

MCCANDLESS, Peter. «A Female Malady? Women at the South Carolina Lunatic Asylum, 1828-1915», *Journal of the History of Medicine and Allied Sciences*, vol. 54, n° 4, 1999, p. 543-571.

MORAN, James E. «Keepers of the Insane : The Role of Attendants at the Toronto Provincial Asylum, 1875-1905», *Histoire sociale,* vol. 28, n° 55, mai 1995, p. 51-75.

NOOTENS, Thierry. «Famille, communauté et folie au tournant du siècle», *Revue d'histoire de l'Amérique française*, vol. 53, n° 1, 1999, p. 93-119.

SEGAL, Jonathan H. «Erotomania Revisited : from Kraepelin to DSM-III-R», *American Journal of Psychiatry,* vol. 146, n° 10, octobre 1989, p. 1261-1266.

TOURNEY, Garfield. «A History of Therapeutic Fashions in Psychiatry, 1800-1966», *American Journal of Psychiatry,* vol. 124, n° 6, décembre 1967, p. 92-104.

Sites Internet

http ://www.institutsmq.qc.ca/a-propos-
de/histoire/index.html

Site de l'Institut en santé mentale de Québec.

http ://www.institutsmq.qc.ca/a-propos-
de/musee-lucienne-maheux/index.html

Site du musée Lucienne-Maheux de l'Institut
en santé mentale de Québec.

TABLE DES CHAPITRES

Lyne Vanier

Folle de lui est mon vingt-quatrième roman jeunesse. C'est probablement celui pour lequel mon travail de psychiatre m'a été le plus utile. Les gens souffrant de maladie mentale n'avaient pas la vie facile à l'époque où j'ai situé mon récit (1908). Malheureusement, malgré les progrès de la science, la situation de ces personnes souffrantes n'est pas forcément plus rose aujourd'hui… Quant aux thèmes délirants, ils ont peut-être changé, mes patients psychotiques me parlent davantage de surveillance malveillante par Internet que de persécution par la Fée Électricité (comme Simonne, un personnage de mon roman), mais la détresse associée à de telles convictions est la même qu'au siècle dernier. J'espère que la lecture de mon récit vous permettra, pour un moment, de vivre la déraison de l'intérieur, comme si c'était à vous que la réalité se présentait de façon aussi déformée. Un ami qui a lu mon manuscrit m'a avoué qu'il n'avait encore jamais réalisé à quel point les gens qui se croient persécutés ou auxquels leur esprit joue des tours étaient absolument persuadés que tout cela leur arrivait pour de vrai. Si je réussis à vous toucher ainsi, vous aussi, j'en serai vraiment contente… J'espère également que cette histoire vous rendra encore plus sensible à la souffrance de ces personnes et vous inspirera un infini respect pour ceux et celles auxquels la vie a réservé un si grand défi.

Collection Ethnos

Ce livre a été imprimé
sur du papier enviro 100 % recyclé.

Empreinte écologique réduite de :
Arbres : 5
Déchets solides : 265 kg
Eau : 17 475 L
Émissions atmosphériques : 688 kg

Ensemble, tournons la page sur le gaspillage.